Nalle Puhin
RAKASTETUIMMAT
Kertomukset

Nalle Puhin
RAKASTETUIMMAT
Kertomukset

A.A.MILNE
Kuvittanut
ERNEST H.SHEPARD

NALLE PUH
JA
MEHILÄISET

NALLE PUH
JA
MEHILÄISET

Tässä tulee Kaarlo Karhu portaita alas pää
edellä, *pum, pum, pum*, Risto Reippaan jäljessä.
Hän ei tiedä mitään muuta tapaa tulla portaita
alas, mutta joskus hänestä tuntuu että jokin

toinen tapa hyvinkin on olemassa, kunhan
pumputus hetkeksi lakkaisi ja hän pääsisi
ajattelemaan asiaa. Ja sitten hänestä tuntuu
että hyvinkin ei olekaan. Oli miten oli, nyt
hän on alakerrassa ja valmis esiteltäväksi.
Nalle Puh.

Kun kuulin tämän ensimmäisen kerran
sanoin hämmästyneenä: "Mutta eilen hänen
nimensä oli Kalle!"

"Niin oli", sanoi Risto Reipas.

"Miksi sinä sitten sanot häntä Nalleksi?"

"Enhän minä sano."

"Mutta äskenhän sinä – "

"Hän on Knalle Puh. Etkö tiedä miten
Knalle lyhennetään?"

"No nyt tiedän", sanoin minä heti, ja
toivottavasti sinäkin tiedät sillä muuta selvitystä
et saa.

Alakerrassa Nalle Puhin tekee välillä mieli

leikkiä ja välillä hänen tekee mieli istua hiljaa takan edessä ja kuunnella kertomuksia. Tänä iltana –

"Mitä sanot kertomuksesta?" kysyi Risto Reipas.

"Mitä sinä sanot?" minä kysyin.

"Ole kiltti ja kerro Nalle Puhille kertomus."

"Voin kertoakin", minä sanoin.

"Millaisista kertomuksista hän pitää?"

"Sellaisista joissa kerrotaan hänestä. Hän on *sellainen* karhu."

"Vai on."

"Ole kiltti ja kerro."

"Minä yritän."

Ja minä yritin.

Elipä kerran kauan, kauan sitten noin viime perjantaina aivan yksin metsässä Nalle Puh, alias Miettinen.

("Mitä tarkoittaa 'alias'?" kysyi Risto Reipas.

"Se tarkoittaa sitä että hänen ovensa yläpuolelle

oli kirjoitettu kultakirjaimin 'Miettinen' ja hän kulki
sen ali asuntoonsa.

"Nalle Puh ei ollut siitä ihan varma", sanoi Risto
Reipas.

"Nyt olen", sanoi möreä ääni.

"Minä siis jatkan", sanoin minä.)

Eräänä päivänä Puh käveli metsässä ja
saapui aukealle metsän keskelle. Aukean
keskellä kasvoi suuri tammi ja tammen latvasta
kantautui kuuluvaa surinaa.

Nalle Puh istuutui puun juurelle, pani pään käpälien väliin ja alkoi ajatella.

Ensin hän sanoi itsekseen: "Tuo surina tarkoittaa jotakin. Ei ole olemassa surinaa sinänsä, pelkkää surisevaa surinaa, joka ei tarkoita mitään. Kun kuuluu surinaa, silloin joku surisee, ja minä tiedän vain yhden syyn surista ja se on se että on mehiläinen."

Sitten hän ajatteli toisen pitkän ajatuksen ja sanoi: "Ja minä tiedän vain yhden syyn olla mehiläinen ja se on se että tekee hunajaa."

Ja sitten hän nousi ylös ja sanoi. "Ja minä tiedän vain yhden syyn tehdä hunajaa ja se on se että *minä* voin syödä sitä." Ja hän rupesi kiipeämään puuhun.

Hän
kiipesi
ja
kiipesi
ja
kiipesi
ja
kiivetes-
sään
hän
lauloi
pienen
laulun
itsekseen.
Se
kuului
näin:

Onpa juttu hassu, miten pitää
hunajasta karhun massu!
Surr! Surr! Mikä on syy että
karhu niin hunajaan mielistyy?

Sitten hän kiipesi vähän ylemmäksi... ja
vähän ylemmäksi... ja sitten vielä vähän
ylemmäksi. Siinä vaiheessa hänellä oli mielessä
jo uusi laulu:

> Jos karhut mehiläisiä olla saisivat,
> ne puun *juurelle* pesänsä rakentaisivat.
> Ja niin (jos mehiläiset karhuiksi muuttuisivat)
> kiipeämisvaivat meiltä puuttuisivat.

Hän alkoi olla jo aika väsynyt, sen takia hän
lauloi Valituslaulun. Hän oli melkein perillä, ei
muuta kuin nousta seisomaan tuolle oksalle...
Räks!
"Apua!" sanoi Puh pudotessaan kolme
metriä alempana odottavalle oksalle.
"Kunpa en olisi –" hän sanoi kiitäessään
kuusi metriä kohti seuraavaa oksaa.
"Nimittäin aikomukseni oli –" hän selitti
kääntyessään ylösalaisin ja törmätessään
seuraavaan oksaan metriä alempana,
"aikomukseni oli –"

"vaikka tietysti se oli hiukan –" hän myönsi
viuhuessaan seuraavien kuuden oksan ohi.
   "Kaikki kai johtuu", hän viimein totesi
hyvästellessään alimman oksan, pyörähtäessään
kolmasti ympäri ja leijaillessaan sulavasti
piikkipensaaseen, "kaikki kai johtuu siitä että

pitää niin paljon hunajasta. Apua!"
    Hän ryömi pois piikkipensaasta,

pyyhki piikit nenästään ja alkoi taas ajatella.
Ja se jota hän ajatteli oli Risto Reipas.
    ("Minuako?" kysyi Risto Reipas ihastuneena,
tuskin uskoen korviaan.
    "Sinua juuri."
    Risto Reipas ei sanonut mitään, mutta hänen
silmänsä alkoivat suureta ja posket punoittaa.)
    Nalle Puh meni tapaamaan ystäväänsä

Risto Reipasta, joka asui vihreän oven takana
Metsän toisessa laidassa.

"Hyvää huomenta, Risto Reipas", sanoi Puh.

"Hyvää huomenta, Knalle Puh", sanoit sinä.

"Sattuisiko sinulla olemaan ilmapalloa?"

"Ilmapalloako?"

"Niin juuri. Sanoin itselleni tänne tullessani: 'Olisikohan Risto Reippaalla mahdollisesti ilmapalloa?' Sanoin näin itsekseni ajatellessani ilmapalloja ja mahdollisuuksia."

"Mihin sinä ilmapalloa tarvitset?" kysyit sinä.

Nalle Puh katsoi ympärilleen tarkistaakseen ettei ketään ollut kuulemassa, pani käpälän suun eteen ja kuiskasi mörisevällä äänellä: "Hunajan hankkimiseksi!"

"Mutta ei kukaan hanki hunajaa ilmapallolla!"

"Minä hankin", sanoi Puh.

Sattui niin että sinä olit ollut edellisenä päivänä juhlissa ystäväsi Nasun luona ja juhlissa oli ollut ilmapalloja. Sinulla oli ollut suuri vihreä ilmapallo ja eräällä Kanin omaisella oli ollut suuri sininen

ilmapallo jonka hän oli unohtanut Nasulle, sillä hän ei oikeastaan ollut vielä juhlaiässä. Niinpä sinä olit ottanut mukaasi *sekä* vihreän että sinisen.

"Kumman sinä tahdot?" sinä kysyit Puhilta.

Puh pani pään käpälien väliin ja ajatteli pitkään.

"Asia on näin", hän sanoi. "Kun hankkii hunajaa ilmapallolla, oleellista on että ei anna mehiläisten huomata, että joku on tulossa. Jos tulijalla on vihreä ilmapallo, ne saattavat ajatella että hän on osa puuta eivätkä huomaa häntä, ja jos hänellä on sininen ilmapallo, ne saattavat ajatella että hän on osa taivasta eivätkä huomaa häntä. Nyt herää kysymys: kumpaa ne ajattelevat varmemmin?"

"Eivätkö ne huomaa *sinua* ilmapallon *alta*?" kysyit sinä.

"Ehkä huomaavat, ehkä eivät", sanoi Nalle Puh. "Mehiläisistä ei koskaan tiedä." Hän ajatteli hetken ja sanoi: "Yritän näyttää pieneltä mustalta pilveltä. Silloin ne hämääntyvät."

"Ota sitten sininen pallo", sinä sanoit, ja niin päätettiin.

Te lähditte molemmat ulos ja otitte sinisen ilmapallon mukaanne ja sinä otit kaiken varalta myös pyssyn kuten aina. Ja Nalle Puh meni erääseen tietämäänsä mutapaikkaan ja

kieriskeli siinä kunnes oli yltäpäältä musta.

Ilmapallo puhallettiin ison isoksi ja sinä ja Puh piditte narusta, ja sitten sinä päästit äkkiä irti ja Puh-Karhu liihotti sulavasti taivaalle ja jäi sinne – puun latvan tasalle ja kuuden metrin päähän siitä.

"Eläköön!" sinä huusit.

"Hyvin menee!" huusi Nalle Puh sinulle. "Miltä minä näytän?"

"Karhulta joka roikkuu ilmapallosta", sinä sanoit.

"Enkö näytäkään pieneltä mustalta pilveltä sinisellä taivaalla?" kysyi Puh huolissaan.

"Et varsinaisesti."

"Jaa, ehkä se täältä ylhäältä näyttää toisenlaiselta. Ja sitä paitsi, kuten sanottu, mehiläisistä ei koskaan tiedä."

Oli aivan tyyntä niin että Puh ei kulkeutunut lähemmäksi puuta vaan pysyi siinä missä oli. Hän näki hunajan, hän haistoi hunajan, mutta ei vain ylettynyt hunajaan. Jonkin ajan kuluttua hän puhui sinulle.

"Risto Reipas!" hän kuiskasi kuuluvasti.

"Hei vaan."

"Mehiläiset taitavat *epäillä* jotakin."

"Mitähän ne epäilevät?"

"En tiedä. Mutta minusta tuntuu että ne ovat *epäluuloisia*!"

"Ehkä ne luulevat että sinä yrität päästä käsiksi niiden hunajaan."

"Voi olla. Mehiläisistä ei koskaan tiedä."

Oli taas hetken hiljaista ja sitten hän huusi sinulle uudestaan.

"Risto Reipas!"

"No mitä?"

"Onko sinulla kotona sateenvarjoa?"

"Eiköhän."

"Mitä jos toisit sen tänne ja kävelisit edestakaisin sateenvarjo kädessä ja katsoisit silloin tällöin ylös minuun ja sanoisit: 'Tjaa, taitaa tulla sade'. Jos tekisit niin, se ehkä auttaisi hämäyksessä jonka kohteena nämä mehiläiset ovat."

Sinä tietysti nauroit itseksesi: "Pöhkö karhu!" mutta et sanonut sitä ääneen, sillä sinä pidit hänestä kovin. Menit kotiin ja hait sateenvarjon.

"Siinähän sinä olet", huudahti Nalle Puh

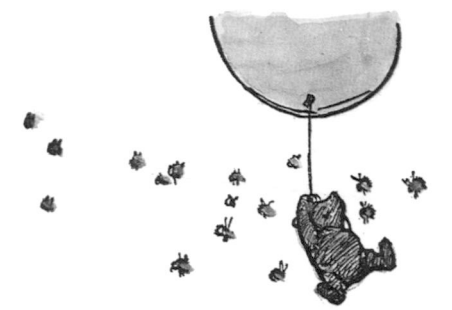

heti kun olit tullut takaisin puun luo. "Aloinkin
jo huolestua. Olen saanut selville että nämä
mehiläiset ovat ehdottomasti Epäluuloisia."

"Avaanko sateenvarjon?" sinä kysyit.

"Avaa, mutta älä vielä. On toimittava
järkevästi. Ennen kaikkea meidän täytyy
hämätä Kuningatarmehiläinen. Näkyykö sinne
kuka on Kuningatarmehiläinen?"

"Ei."

"Sääli. No, jos kävelet nyt edestakaisin
sateenvarjo kädessä ja sanot: 'Tjaa, taitaa tulla
sade', niin minä laulan omalta osaltani pienen
Pilvilaulun, kuten pilvillä saattaisi olla tapana.
Nyt!"

Sillä aikaa kun sinä kävelit edestakaisin ja ihmettelit tuleeko sade, Nalle Puh lauloi tämän laulun:

Pilvenä on ihanaa
nousta sineen leijumaan!
Joka pikku pilvi saa
laulun kaiuttaa.

"Pilvenä on ihanaa
nousta sineen leijumaan!"
Uljasta on vaeltaa
kun pieni pilvi olla saa.
Pilvenä on ihanaa
nousta sineen leijumaan!

Mehiläiset surisivat edelleen vähintään yhtä epäluuloisina. Jotkut jopa lähtivät pesästä ja lentelivät pilven ympärillä sen aloittaessa laulun toista säkeistöä ja yksi mehiläinen istuutui hetkeksi pilven kuonolle ja nousi sitten taas lentoon.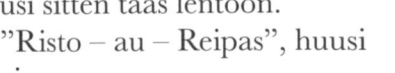

"Risto – au – Reipas", huusi pilvi.

"Mitä?"

"Olen vähän ajatellut ja olen päätynyt tärkeään tulokseen. *Nämä ovat vääränlaisia mehiläisiä.*"

"Ihanko totta?"

"Kerrassaan vääriä. Ne tekevät varmaan vääränlaista hunajaakin, mitä luulet?"

"Mitä itse luulet?"

"Kyllä tekevät. Joten minä taidan tulla alas."

"Miten?" kysyit sinä.

Sitä Nalle Puh ei ollut tullut ajatelleeksi. Jos hän päästäisi irti narusta, hän putoaisi – *pum* – eikä ajatus tuntunut hänestä mukavalta. Niinpä hän ajatteli pitkään ja sanoi sitten:

"Risto Reipas, ammu sinä pyssyllä palloa.
Onko sinulla pyssy mukana?"

"Tottakai", sinä sanoit. "Mutta jos ammun,
ilmapallo menee pilalle."

"Mutta jos et ammu", sanoi Puh, "minä
joudun päästämään irti ja silloin *minä* menen
pilalle."

Kun hän esitti asian näin, sinä käsitit ja
tähtäsit huolellisesti ilmapalloa ja laukaisit.

"*Au!*" sanoi Puh.

"Menikö ohi?" kysyit sinä.

"Ei suorastaan *ohi*", Puh sanoi, "mutta *pallon*
ohi kyllä."

"Anteeksi", sanoit sinä ja laukaisit toisen
kerran ja tällä kertaa osuit ilmapalloon ja ilma
pihisi siitä hitaasti ulos ja Puh leijaili maahan.

Mutta hänen kätensä olivat jäykistyneet
narun pitelemisestä niin että ne sojottivat

pystyssä yli viikon, ja aina kun hänen kuonolleen laskeutui kärpänen, hänen täytyi puhaltaa se pois. Minusta tuntuu – joskaan en ole varma – että tämän vuoksi häntä kutsuttiin Puhiksi.

"Loppuiko kertomus?" kysyi Risto Reipas.
"Tämä loppui. Niitä on lisää."
"Puhista ja minusta, niinkö?"
"Ja Nasusta ja Kanista ja teistä kaikista. Etkö muista?"

"Muistan kyllä ja sitten kun yritän muistella niin unohdan."

"Sinä päivää kun Puh ja Nasu yrittivät pyydystää Möhköfantin –"

"Eiväthän he saaneet sitä?"

"Eivät saaneet."

"Se johtui siitä että Puh ei ole kovin älykäs. Sainko *minä* sen kiinni?"

"Se selviää kertomuksesta."

Risto Reipas nyökkäsi.

"Muistanhan minä", hän sanoi, "mutta Puh ei aina muista ja sen takia hän tahtoo kuulla kaiken uudestaan. Koska silloin siitä tulee oikea kertomus eikä pelkkää muistamista."

"Sitä mieltä minäkin olen", minä sanoin.

Risto Reipas huokasi syvään, tarttui karhua jalasta ja asteli ovelle laahaten Puhia perässään. Ovella hän kääntyi ja sanoi: "Tuletko katsomaan kun kylven?"

"Saatan tulla", minä sanoin.

"Eihän häneen sattunut kun ammuin häntä?"

"Ei tippaakaan."

Hän nyökkäsi ja meni ovesta ja hetken kuluttua kuulin miten – *pum, pum, pum* – Nalle Puhia vietiin yläkertaan.

PUH KÄY KYLÄSSÄ
JA NASU JA PUH MELKEIN JÄLJITTIVÄT TÄRPÄN

PUH KÄY
KYLÄSSÄ
JA NASU JA PUH MELKEIN
JÄLJITTIVÄT TÄRPÄN

Kaarlo Karhu, jonka hänen ystävänsä tuntevat
nimellä Nalle Puh eli lyhyesti Puh, käveli
eräänä päivänä metsän poikki hyräillen
tyytyväisenä itsekseen. Hän oli laatinut pikku

hyrinän samana aamuna voimaillessaan peilin
edessä: *Tra-la-la, tra-la-la* – hän kurkotti niin
korkealle kuin pääsi ja sitten – *tra-la-la, tra-la* –

uh, apua! – *la* – hän yritti ulottua varpaisiinsa.
Aamiaisen jälkeen hän oli hyräillyt hyrinää yhä
uudestaan kunnes osasi sen ulkoa ja saattoi
hyristä sen alusta loppuun kunnolla. Näin se
kuului:

> *Tra-la-la, tra-la-la,*
> *tra-la-la, tra-la-la,*
> *ram-tam-tüteli-tam.*
> *Tüteli-tü, tüteli-tü,*
> *tüteli-tü, tüteli-tü,*
> *ram-tam-tam-tüteli-tam.*

Hän hyräili tätä itsekseen ja asteli hilpeästi eteenpäin ja mietti mitä muut puuhailivat ja miltähän tuntui olla joku muu. Äkkiä hän tuli hiekkaiselle rinteelle. Rinteessä oli iso kolo.

"Ahaa!" sanoi Puh. *"(Ram-tam-tiiteli-tam.)* Mikäli minä tiedän ylipäätään mitään, tuo kolo tarkoittaa Kania", hän sanoi, "ja Kani tarkoittaa Seuraa", hän jatkoi, "ja Seura tarkoittaa Ruokaa ja Puhin Hyrinän Kuuntelua ja sen semmoista. *Ram-tam-tam-tiiteli-tam.*"

Hän kumartui, työnsi päänsä koloon ja huusi: "Onko ketään kotona?"

Sisältä kuului kiireistä kahinaa ja sitten ei mitään.

"Sanottavani oli: 'Onko ketään kotona?'" huusi Puh hyvin kuuluvasti.

"Ei!" sanoi ääni ja lisäsi sitten: "Äläkä turhaan huuda. Kuulin mainiosti jo ensimmäisellä kerralla."

"Voi harmi!" sanoi Puh. "Eikö siellä ole ketään?"

"Ei ketään."

Nalle Puh veti päänsä kolosta ja ajatteli vähän ja hän ajatteli näin: "Joku siellä on, sillä jokuhan *sanoi*: 'ei ketään'." Hän työnsi päänsä takaisin koloon ja sanoi:

"Hei, Kani, sinäkö siellä?"

"En", sanoi Kani tällä kertaa toisenlaisella äänellä.

"Mutta eikö tuo ole Kanin ääni?"

"Ei *kai*", sanoi Kani. "Ei sen pitäisi olla."

"Ai!" sanoi Puh.

Hän veti päänsä kolosta ja ajatteli taas ja pani pään takaisin koloon ja sanoi:

"Voisitko ystävällisesti kertoa minulle missä Kani on?"

"Hän on mennyt tapaamaan ystäväänsä Puh-Karhua, joka on hänen hyvä ystävänsä."

"Mutta tämä olen Minä!" sanoi Karhu hyvin hämmästyneenä.

"Mikä Minä?"

"Puh-Karhu."

"Oletko varma?" kysyi Kani vielä hämmästyneempänä.

"Varma kuin varma," sanoi Puh.
"No mutta, tule ihmeessä sisään."
Niin Puh tunki ja tunki ja tunki itseään

koloon ja pääsi viimein sisälle.

"Olit oikeassa", sanoi Kani katsellen häntä joka puolelta. "Se *olet* sinä. Hauska nähdä sinua."

"Keneksi sinä minua luulit?"

"En ollut varma. Tiedäthän sinä tämän Metsän. Ei sitä voi päästää *ketä tahansa* kotiinsa. Täytyy olla *varovainen*. Ottaisitko jotakin?"

Puh nautti aina mielellään jotakin pientä aamulla kello yksitoista. Hän katsoi ilahtuneena miten Kani otti esiin lautasia ja mukeja. Kun Kani sanoi: "Otatko hunajaa vai hilloa leivän kanssa?" Puh oli niin innoissaan että vastasi: "Molempia", ja lisäsi sitten ettei olisi kuulostanut ahneelta: "Mutta älä leivän takia vaivaudu." Sitten hän ei pitkään aikaan sanonut mitään... kunnes hän lopulta nousi ylös hyräillen paksulla äänellä, puristi Kanin käpälää sydämellisesti ja sanoi, että hänen pitikin jo jatkaa matkaa.

"Pitääkö?" sanoi Kani kohteliaasti.

"Tuota", sanoi Puh, "voisin jäädä hetkeksi jos... jos sinulla –" ja hän katsoi innokkaasti komeron suuntaan.

"Itse asiassa minäkin olin juuri menossa ulos", sanoi Kani.

"Jos niin on, minä jatkan matkaani. Näkemiin."

"Näkemiin vain, jollet todellakaan enää ota lisää."

"*Onko* vielä lisää?" kysyi Puh nopeasti.

Kani nosteli astioiden kansia ja sanoi: "Ei ole."

"Sitä minäkin", sanoi Puh nyökytellen. "Näkemiin sitten, minun täytyy jatkaa matkaa."

Hän ryhtyi kipuamaan kolosta ulos. Hän veti etukäpälillään ja työnsi takakäpälillään ja kohta hänen kuononsa oli taas ulkoilmassa... ja sitten korvat... ja sitten etukäpälät... ja sitten hartiat... ja sitten –

"Voi apua!" sanoi Puh. "Parasta mennä takaisin."

"Voi harmi!" sanoi Puh. "Täytyykin pyrkiä eteenpäin."

"Kumpikaan ei onnistu!" sanoi Puh. "Voi apua *ja* voi harmi!"

Nyt halusi Kanikin lähteä kävelylle ja kun hän huomasi että etuovi oli tukossa, hän meni ulos takaovesta ja kiersi Puhin luo.

"Hei, oletko juuttunut kiinni?" hän kysyi.

"E-hen", sanoi Puh huolettomasti. "Lepäilen vain ja ajattelen ja hyräilen itsekseni."

"Ojennapa käpälää."

Puh Karhu ojensi toisen käpälänsä ja Kani veti ja veti...

"*Au!*" huusi Puh. "Sattuu!"

"Asia on niin", sanoi Kani, "että sinä olet juuttunut kiinni."

"Kaikki johtuu siitä", sanoi Puh vihaisesti, "että on liian pienet ulko-ovet."

"Kaikki johtuu siitä", sanoi Kani tuimasti, "että syöt liikaa. Minusta tuntui jo silloin – mutta jätin sen sanomatta – että jompikumpi meistä söi liikaa", hän jatkoi. "Enkä se ollut *minä*. No niin, täytyy mennä hakemaan Risto Reipasta."

Risto Reipas asui Metsän toisessa laidassa ja kun hän saapui Kanin kanssa ja näki Puhin etupuoliskon, hän sanoi: "Pöhkö Karhu!" niin hellästi että kaikkien toivo syttyi taas.

"Rupesin jo pelkäämään", sanoi Karhu niiskuttaen vähän, "että Kani ei ehkä koskaan enää voi käyttää etuoveaan. Se olisi minusta *hyvin* ikävää."

"Niin minustakin", sanoi Kani.

"Vai ei voi käyttää etuoveaan!" sanoi Risto Reipas. "Tietysti voi."

"Hyvä", sanoi Kani.

"Jos emme saa vedetyksi sinua ulos, voimme työntää sinut sisään."

Kani rapsutti mietteliäästi viiksiään ja selitti, että kun Puh kerran olisi työnnetty sisään, hän olisi sisällä, eikä kukaan tietenkään iloinnut siinä määrin Puhin seurasta kuin *Kani*, mutta kuitenkin asia oli niin että toiset asuvat puussa ja toiset asuvat maan alla ja –

"Tarkoitatko että minä en *koskaan* pääsisi ulos?" sanoi Puh.

"Tarkoitan että kun nyt olet päässyt näinkin pitkälle, olisi sääli menettää saavutettu etu," sanoi Kani.

"Sitten on vain yksi keino", hän sanoi. "Meidän pitää odottaa että sinä laihdut."

"Kauanko laihtuminen kestää?" kysyi Puh huolestuneena.

"Kai viikon."

"Mutta enhän minä voi jäädä tähän *viikoksi!*"

"Se on ihan helppoa, pöhkö karhu, poispääsy se tässä on hankalaa."

"Me voimme lukea sinulle ääneen", sanoi Kani hilpeästi.

"Toivottavasti ei tule lunta", hän lisäsi. "Sitä paitsi sinä viet aika lailla tilaa – et kai pane pahaksesi jos käytän takajalkojasi pyyhetelineenä. Kun ne nyt ovat siinä vailla virkaa, niihin voisi varsin kätevästi ripustaa pyyhkeitä."

"Viikko!" sanoi Puh synkästi. *"Entä ruoka?"*

"Valitettavasti ei ruokaa", sanoi Risto

Reipas. "Laihdut nopeammin. Mutta kyllä me luemme sinulle ääneen."

Karhu yritti huokaista mutta huomasi sitten ettei se käynyt päinsä, niin tiukasti hän oli kiinni. Hänen poskelleen valui kyynel kun hän sanoi:

"Luettehan sitten Voimaa Antavaa Kirjaa joka auttaa ja lohduttaa Ahdistettua Karhua Tukalassa Tilanteessa?"

Viikon ajan Risto Reipas luki Voimaa

Antavaa Kirjaa Puhin pohjoispäässä ja Kani

ripusti pyykkejään eteläpäässä... ja sillä välillä
Puh hoikistui hoikistumistaan. Viikon lopulla
Risto Reipas sanoi:

"Nyt!"

Hän tarttui Puhin etukäpäliin ja Kani tarttui
Risto Reippaaseen ja kaikki Kanin omaiset ja
ystävät tarttuivat Kaniin ja kaikki vetivät
yhdessä...

Ja pitkään kuului vain "*Au!*"
Ja "*Au!*"
Ja sitten yhtäkkiä "*Plop!*"
aivan kuin korkki olisi
poksahtanut pullon suulta.

Ja Risto Reipas ja Kani ja
kaikki Kanin omaiset ja ystävät
lensivät kuperkeikkaa
taaksepäin... ja

päällimmäiseksi putosi Nalle
Puh. Hän oli irti!

Hän nyökkäsi ystävilleen
kiitokseksi ja lähti jatkamaan
metsäkävelyään tyytyväisenä
hyräillen. Mutta Risto Reipas
katsoi hellästi hänen peräänsä
ja sanoi itsekseen: "Pöhkö
karhu!"

PUH JA NASU MELKEIN
PYYDYSTÄVÄT TÄRPÄN

Nasueläin asui hienossa talossa pyökin
keskellä ja pyökki kasvoi Metsän keskellä ja
Nasu asui keskellä taloa. Hänen talonsa
vieressä oli rikkinäinen kilpi jossa luki:
"YKSITYIS A". Kun Risto Reipas kysyi
Nasueläimeltä mitä se tarkoitti, tämä vastasi
että se oli hänen isoisänsä nimi joka oli
kulkenut suvussa jo pitkään. Risto Reipas
sanoi ettei kenenkään nimi *voinut* olla Yksityis
A, mutta Nasu sanoi että kyllä voi, silä se oli
hänen isoisänsä nimi ja se oli lyhenne nimestä
Yksityis A1 joka oli lyhenne nimestä Yksityis
Allan. Hänen isoisällään oli kaksi nimeä siltä

varalta että hän hukkaisi toisen – Yksityis oli hänen etunimensä ja Allan hänen takanimensä.

"Minulla on kaksi nimeä", sanoi Risto Reipas huolettomasti.

"Siinä näet", sanoi Nasu.

Eräänä kauniina talvipäivänä kun Nasu lakaisi lunta talonsa edestä, hän katsahti sattumoisin ylös ja siinä olikin Nalle Puh. Puh kiersi ympyrää ja ajatteli jotakin muuta ja kun Nasu huikkasi hänelle, hän vain jatkoi kiertämistään.

"Hei!" sanoi Nasu. "Mitä sinä teet?"

"Metsästän", sanoi Puh.

"Mitä sinä metsästät?"

"Minä jäljitän", sanoi Puh salaperäisesti.

"Mitä sinä jäljität?" kysyi Nasu ja tuli lähemmäksi.

"Sitä minäkin kysyn itseltäni. Kysyn itseltäni: mitä?"

"Ja vastaat – ?"

"Täytyy odottaa kunnes saan sen kiinni",

sanoi Nalle Puh. "Katso tänne." Hän osoitti
maata. "Mitä näet?"

"Jälkiä", sanoi Nasu. "Tassunjälkiä." Hän
vingahti innoissaan.

"Oi Puh! Olisikohan se… tuota…
Tärppä?"

"Ehkä on", sanoi Puh. "Milloin on, milloin
ei. Tassunjäljistä ei koskaan tiedä."

Tämän lausuttuaan hän lähti jatkamaan
jäljitystä ja tarkkailtuaan häntä pari minuuttia
Nasu juoksi hänen peräänsä. Nalle Puh oli

äkkiä pysähtynyt. Hän seisoi kumartuneena jälkien ääreen jotenkin hämmentyneenä.

"Mitä nyt?" kysyi Nasu.

"Tämä on hyvin hassua", sanoi Puh. "Näyttää siltä että eläimiä on nyt *kaksi*. Tämä – mikälie on saanut seuraansa toisen, minkälie, ja nyt ne taitavat taivaltaa yhdessä. Tulisitko mukaan, Nasu, siltä varalta että ne osoittautuvat Vihamielisiksi Eläimiksi?"

Nasu raapi korvaansa niin kuin hänellä oli tapana raapia ja sanoi, ettei hänellä ollut mitään tekemistä ennen perjantaita, ja että hän tulisi oikein mielellään, mikäli tämä eläin todella oli Tärppä.

"Tarkoitat aiketi, mikäli nämä eläimet todella ovat kaksi Tärppää", sanoi Nalle Puh, ja Nasu sanoi että joka tapauksessa hänellä ei ollut mitään tekemistä ennen perjantaita. He lähtivät yhdessä astelemaan.

Toisella puolen kasvoi pieni rykelmä lehtikuusia ja vaikutti siltä että nämä kaksi Tärppää, mikäli olivat Tärppiä, olivat

kiertäneet lehtikuuset, ja niin Puh ja Nasu
kiersivät kuuset niiden perässä. Nasu kertoi
ajankuluksi mitä hänen Isoisänsä Yksityis A
oli tehnyt Jäljittämisenjälkeisen Jäykkyyden
Poistamiseksi ja miten
hänen Isoisänsä
Yksityis A oli vanhoilla
päivillään potenut
Hengen Ahdistusta.
Puh puolestaan mietti,
millainen Isoisä oli ja
jäljittivätkö he kukaties
paraikaa kahta Isoisää,
ja mikäli niin oli,
saisiko hän ottaa
toisen ja pitää sen, ja
mitä Risto Reipas sanoisi. Ja jäljet jatkuivat
heidän edellään…

Äkkiä Nalle Puh pysähtyi ja osoitti
innoissaan lunta. "Katso!"

"Mitä!" sanoi Nasu hypähtäen ilmaan.
Sitten hän hyppeli vielä pari kertaa ikään

kuin voimistelumielessä osoittaakseen ettei hän suinkaan ollut pelästynyt.

"Katso jälkiä", sanoi Puh. *"Kahden eläimen seuraan on liittynyt kolmas!"*

"Puh!" huudahti Nasu. Onkohan sekin Tärppä?"

"Ei ole", sanoi Puh, "se tekee erilaisia jälkiä. Edellämme on joko kaksi Tärppää ja mahdollisesti yksi Särppä tai mahdollisesti kaksi Särppää ja jos niin on, yksi Tärppä. Seuratkaamme niitä edelleen."

He jatkoivat matkaa hiukan huolestuneina siitä, oliko kolmella heidän edellään kulkevalla eläimellä Vihamieliset Aikeet. Ja Nasu toivoi kovasti että hänen Isoisänsä Y.A. olisi ollut mukana sen sijaan että ei ollut, ja Puh ajatteli miten miellyttävää olisi tavata Risto Reipas ykskaks ja aivan sattumoisin, ei muuten mutta kun hän piti niin kovasti Risto Reippaasta. Ja sitten Nalle Puh taas äkkiä pysähtyi ja nuolaisi kuononpäätä rauhoittavasti, sillä tämä alkoi jo olla liikaa. *Heidän edellään kulki neljä eläintä!*

"Näetkö Nasu? Katso jälkiä! Arvattavasti kolme Tärppää ja oletettavasti yksi Särppä. *Niiden seuraan on liittynyt vielä yksi Tärppä!*

Siltä näytti. Siinä jäljet olivat: milloin risteillen toistensa yli, milloin sotkeentuen toisiinsa, mutta vähän väliä niitä oli selvästi neljä paria.

"Tulin ajatelleeksi", sanoi Nasu nuolaistuaan kuonoaan hänkin ja todettuaan ettei se paljon rauhoittanut. "Tulin ajatelleeksi että muistin juuri jotakin. Muistin juuri jotakin jonka unohdin tehdä eilen ja jota en voi tehdä huomenna. Joten minun kai täytyy tästä lähteä tekemään sitä."

"Teemme sen tänään iltapäivällä ja minä tulen mukaan", sanoi Puh.

"Ei se ole sellaista mitä voi tehdä iltapäivällä", sanoi Nasu nopeasti. "Se on erityinen aamutekeminen ja sitä täytyy tehdä aamulla mikäli mahdollista – mitähän kello on?"

"Noin kaksitoista", sanoi Nalle Puh katsottuaan aurinkoa.

"Kuten sanoin kello noin kahdentoista ja kello noin viittä yli kahdentoista välillä. Joten suo nyt anteeksi, ystävä hyvä – *mikä se oli?*"

Puh katsahti taivaalle ja kuultuaan taas vihellyksen hän katsahti suuren tammen oksistoon ja näki siellä erään ystävänsä.

"Risto Reipas", hän sanoi.

"No mutta sittenhän sinulla ei ole mitään hätää", sanoi Nasu. "Hänen seurassaan olet turvassa. Terve vaan!" Nasu kipitti kotiin minkä kerkesi ja oli hyvin iloinen päästyään Pois Vaarasta.

Risto Reipas laskeutui hitaasti puusta.

"Pöhkö karhu", hän sanoi. "Mitä ihmettä sinä puuhailit? Ensin sinä kävelit lehtikuusien ympäri yksiksesi kaksi kertaa ja sitten Nasu juoksi sinun perääsi ja te kävelitte ympäri yhdessä ja olit juuri aloittamassa neljättä kierrosta —"

"Hetki vain", sanoi Puh käpälä pystyssä.

Hän istuutui maahan ja ajatteli niin mietteliäästi kuin osasi. Sitten hän sovitti käpälänsä yhteen jälkeen... Sitten hän rapsi kuonoaan kahdesti janousi.

"Niin se on", sanoi Nalle Puh.

"Nyt käsitän", sanoi Nalle Puh.

"Olen ollut Hölmö ja Harhautunut", hän sanoi, "olen Aivan Älytön Karhu."

"Olet Koko Maailman Paras Karhu", rauhoitti Risto Reipas.

"Ihanko totta?" sanoi Puh toiveikkaasti. Ja sitten hän äkkiä piristyi.

"Joka tapauksessa", hän sanoi, "kohta on ruoka-aika."

Ja hän meni kotiin syömään.

NASU
TAPAA
MÖHKÖFANTIN

NASU
TAPAA
MÖHKÖFANTIN

Eräänä päivänä juttelivat Risto Reipas ja Nalle
Puh ja Nasu keskenään ja Risto Reipas söi
suunsa tyhjäksi ja sanoi huolettomasti: "Nasu,
minä näin tänään Möhköfantin."

"Mitä se teki?" kysyi Nasu.

"Loikki omia aikojaan", sanoi Risto Reipas.
"Tuskin se näki *minua.*"

"Minä näin kerran Möhköfantin", sanoi
Nasu. "Tai ainakin luulin nähneeni. Tai ehkä
en nähnytkään."

"Niin minäkin", sanoi Puh miettien
minkähänlainen Möhköfantti on.

"Niitä ei näe usein", sanoi Risto Reipas huolettomasti.

"Ei enää", sanoi Nasu.

"Tähän aikaan vuodesta", sanoi Puh.

Sitten he puhelivat jostakin muusta kunnes Puhin ja Nasun tuli aika lähteä kotiin. Aluksi he tallustivat polkua joka kulki Puolen Hehtaarin

Puiston reunaa, eivätkä sanoneet paljon
mitään, mutta päästyään purolle ja autettuaan
toisensa kiviä myöten sen yli he pystyivät taas
kävelemään kanervikossa rinnakkain. Silloin he

rupesivat juttelemaan mukavasti niitä näitä ja
Nasu sanoi: "Sinähän ymmärrät", ja Puh
sanoi: "Juuri sitä minäkin", ja Nasu sanoi:
"Mutta toisaalta on muistettava", ja Puh sanoi:
"Totta tosiaan, olin aivan unohtanut." Ja
Kuuden Männyn kohdalle Puh katsahti
ympärilleen ettei kukaan kuunnellut ja sanoi
hyvin vakavalla äänellä:
    "Nasu, minä olen tehnyt päätöksen."

"Puh, minkä päätöksen?"

"Olen päättänyt pyydystää Möhköfantin."

Puh nyökkäsi monta kertaa tätä sanoessaan ja odotti että Nasu sanoisi: "Miten?" tai "Puh, ei kai!" tai jotakin muuta yhtä avuliasta, mutta Nasu ei sanonut mitään. Nasu nimittäin toivoi että *hän* olisi tullut ensin sitä ajatelleeksi.

"Sen teen", sanoi Puh odotettuaan vielä vähän aikaa, "ansan avulla. Ja sen täytyy olla Nerokas Ansa, joten sinun on autettava minua."

"Puh", sanoi Nasu josta tuntui jo paljon mukavammalta, "minä autan." Ja sitten hän sanoi: "Miten me teemme sen?" ja Puh sanoi: "Siinäpä se: miten?" Ja he istuutuivat miettimään.

Ensin Puh keksi että he kaivaisivat Hyvin Syvän Montun ja Möhköfantti tulisi ja putoaisi Monttuun ja –

"Miten niin?" sanoi Nasu.

"Mitä miten niin?" sanoi Puh.

"Miten niin putoaisi?"

Puh hieroi kuonoa käpälällään ja sanoi, että Möhköfantti ehkä kuljeskelisi ja hyräilisi pikku laulua ja katselisi taivaalle ja miettisi, tuleeko sade, eikä sen tähden näkisi Hyvää Syvää Monttua ennen kuin puolimatkassa alas, jolloin olisi liian myöhäistä.

Nasu sanoi että Ansa oli erinomainen, mutta entä jos sataisi.

Puh hieroi taas kuonoaan ja sanoi ettei hän ollut tullut ajatelleeksi sitä. Ja sitten hän piristyi ja sanoi, että jos jo sataisi, Möhköfantti katselisi taivaalle ja miettisi, *selkeneekö*, eikä siis näkisi Hyvin Syvää Monttua ennen kuin puolimatkassa alas... Jolloin olisi liian myöhäistä.

Nasu sanoi että kun tämä yksityiskohta oli selvitetty, Ansa kuulosti hänestä hyvin Nerokkaalta.

Sen kuultuaan Puh tuli hyvin ylpeäksi ja piti Möhköfanttia jo pyydystettynä, mutta vielä piti miettiä yhtä seikkaa: *Minne he kaivaisivat Hyvin Syvän Montun?*

Nasu sanoi että paras paikka olisi sellainen missä Möhköfantti olisi juuri ennen putoamistaan, noin puolen metrin päässä siitä.

"Mutta silloin se näkisi meidät kun me kaivamme Monttua", sanoi Puh.

"Ei näkisi, jos se katselisi taivaalle."

"Se Epäilisi", sanoi Puh, "mikäli sattuisi

katsomaan alas." Hän ajatteli kauan ja lisäsi
murheellisena: "Ei tämä ole niin helppoa kuin
luulin. Sen takia kai Möhköfantteja ei juuri
koskaan saada kiinni."

"Siitä se varmaan johtuu", sanoi Nasu.

He huokasivat ja nousivat ja nyhdettyään
pari piikkiä itsestään he istuutuivat taas ja
kaiken aikaa Puh mutisi itsekseen: "Nyt pitäisi
tulla *ajatelleeksi* jotain!" Sillä hän oli
vakuuttunut siitä että Hyvin Suurelle Älylle
Möhköfantin pyydystäminen ei olisi konsti
eikä mikään kun vain osaisi konstin.

"Entäpä jos sinä aikoisit pyydystää minut",
hän sanoi Nasulle, "miten tekisit sen?"

"Tekisin sen näin", sanoi Nasu. "Asettaisin
Ansan ja panisin Ansaan Hunajapurkin ja
sinä haistaisit hunajan ja lähtisit tulemaan sitä
kohti ja —"

"Ja minä lähtisin tulemaan sitä kohti",
sanoi Puh innoissaan, "varovasti etten
satuttaisi itseäni, ja menisin Hunajapurkin luo,
ja alkaisin nuolla sen reunoja ikään kuin

hunajaa ei olisi enempää, ja sitten kävelisin kauemmaksi ja ajattelisin vähän ja sitten tulisin takaisin ja ryhtyisin nuolemaan purkin keskeltä ja sitten –"

"Niin niin, ei nyt sitä. Sinä olisit siinä ja siihen minä sinut pyydystäisin. Nyt on siis ennen muuta mietittävä, mistä Möhköfantit pitävät? Minä vähän luulen että ne pitävät tammenterhoista. Hankimme paljon tammenterhoja – no mutta Puh, herää!"

Puh, joka oli vaipunut onnellisiin kuvitelmiin, heräsi hätkähtäen ja sanoi että

Hunaja oli paljon Ansakkaampaa kuin Tammenperhot. Nasu ei ollut samaa mieltä, ja kina oli juuri alkamassa kun Nasu huomasi, että mikäli he panisivat Ansaan tammenterhoja, *hänen* olisi hankittava ne tammenterhot, mutta jos he panisivat sinne hunajaa, Puh saisi tuoda omia hunajoitaan, ja hän sanoi: "Hyvä on, sanotaan sitten hunajaa." Juuri silloin Puh tajusi saman asian ja aikoi sanoa; "Hyvä on, sanotaan sitten Tammenperhoja."

"Hunajaa siis", sanoi Nasu itsekseen siihen sävyyn kuin asia olisi nyt päätetty. "*Minä* kaivan montun sillä aikaa kun sinä haet hunajan."

"Hyvä on", sanoi Puh ja tallusteli tiehensä.

Kotiin päästyään hän meni kaapille, nousi tuolille seisomaan ja otti hyllyltä suuren hunajapurkin. Siihen oli kirjoitettu HUNALAA, mutta hän otti varmuuden vuoksi päällyspaperin pois ja katsoi sisään ja sisällä *näytti* olevan hunajaa. "Mutta ei sitä koskaan tiedä", sanoi Puh. "Muistaakseni eno sanoi

kerran nähneensä aivan tämän väristä juustoa."
Hän työnsi kielensä purkkiin. "Kyllä", hän
sanoi, "hunajaa on. Ei epäilystäkään. Pinnalta
pohjaan saakka. Mikäli... mikäli kukaan ei ole
pannut pilan päiten pohjalle juustoa. Ehkä olisi
parasta koettaa *vähän* syvemmältä... siltä
varalta... siltä varalta... että Möhköfantit *eivät*

pidä juustosta... sama täällä... Ah!" Hän
huokasi syvään. "Olin kuin olinkin oikeassa.
Hunajaa se on, pohjaan saakka."

Varmistuttuaan tästä hän vei purkin Nasulle.
Nasu katsahti ylös Hyvin Syvän Montun
pohjalta ja sanoi: "Toitko sen?" ja Puh sanoi:
"Toin, mutta purkki ei ole aivan täynnä", ja
heitti purkin Nasulle ja Nasu sanoi: "Ei näytä
olevan! Onko tässä kaikki?" ja Puh sanoi:
"On!" sillä siinä se oli. Nasu asetti purkin
Montun pohjalle ja kiipesi ylös ja he menivät
yhdessä kotiin.

"Hyvää yötä sitten, Puh", sanoi Nasu kun he
olivat päässeet Puhin
talolle. "Tapaamme
kello kuusi
huomenaamulla
Kuuden Männyn luona
ja käymme katsomassa
montako Möhköfanttia
meidän Ansaamme on
tullut."

"Kuudelta siis.
Onko sinulla
narua?"

"Ei. Mihin sinä
narua tarvitset?"

"Viedäkseni ne
kotiin."

"Ai!... Luulin
että Möhköfantit seuraavat vihellystä."

"Toiset seuraavat, toiset eivät.
Möhköfanteista ei koskaan tiedä."

"Hyvää yötä."

"Hyvää yötä."

Ja Nasu kipitti kotiinsa Yksityis Aahan. Puh
alkoi valmistella nukkumaanmenoa.

Joitakin tunteja myöhemmin kun yö jo läheni
loppuaan, Puh heräsi äkkiä vajoavaan
tunteeseen. Hänellä oli ollut sama vajoava
tunne ennenkin ja hän tiesi mitä se merkitsi.

Hänellä oli nälkä.

Hän meni kaapille ja nousi tuolille ja

kurkotti ylimmälle hyllylle – mutta käpälä ei tavoittanut mitään.

"Onpa hassu juttu", hän ajatteli. "Minullahan oli täällä purkki hunajaa. Täysinäinen purkki, täynnä hunajaa pintaan saakka, ja purkin kyljessä luki HUNALAA jotta tietäisin että siinä on hunajaa. Onpa hassu juttu." Ja hän rupesi kävelemään edestakaisin miettien missä purkki oli ja mumisten itsekseen näin:

Onpa hassu juttu
missä purkki tuttu?
Siinä luki lapussa
          että HUNALAA.

Sen täpö-täpötäyden purkin
kadotin, ja vaikka kurkin,
se on ihan hukassa –
          onkos HASSUMPAA!

Hän oli mumissut tämän muminan kolme kertaa itsekseen puoliksi laulaen kun hän äkkiä muisti. Hän oli pannut purkin Nerokkaaseen Möhköfantti-Ansaan.

"Voi harmi!" sanoi Puh. "Kaikki johtuu siitä että yrittää olla ystävällinen Möhköfanteille." Ja hän meni takaisin sänkyyn.

Mutta hän ei saanut unta. Mitä enemmän hän yritti saada unta sitä vähemmän hän sai. Hän yritti Laskea Lampaita, mikä joskus on hyvä keino saada unen päästä kiinni, mutta kun siitä ei ollut apua hän yritti laskea Möhköfantteja. Aina pahempaa. Sillä jokainen

Puhin laskema Möhköfantti marssi suoraan kohti Puhin hunajaa ja *söi sen kaiken*. Jonkin aikaa hän makasi kurjana sängyssään, mutta kun viidessadaskahdeksaskymmenesseitsemäs Möhköfantti nuoli huuliaan ja sanoi: "Onpa hyvää hunajaa, harvoin saa parempaa", Puh ei enää kestänyt. Hän loikkasi sängystä, ryntäsi ulos ja juoksi suoraan Kuuden Männyn luo.

Aurinko oli yhä nukkumassa, mutta Puolen Hehtaarin Puiston yllä taivas kajasti jo osoittaen että pian aurinko heräisi ja potkisi peitteet päältään. Männyt näyttivät hämärässä kolkoilta ja yksinäisiltä, Hyvin Syvä Monttu näytti syvemmältä kuin olikaan, ja Puhin hunajapurkki sen pohjalla näytti kummalta möhkäleeltä.

Mutta kun Puh oli päässyt lähemmäksi, hänen kuononsa tiesi kertoa että hunajaa se oli, ja hänen kielensä pisti esiin ja alkoi jo etukäteen kostuttaa suupieliä.

"Voi harmi!" sanoi Puh saatuaan kuononsa

purkin sisään. "Joku Möhköfantti on syönyt kaiken!" Ja sitten hän ajatteli hetken ja sanoi: "Eipä vainenkaan, *minähän* sen söin. Olin unohtaa."

Hän oli tosiaan syönyt melkein kaiken. Mutta aivan purkin pohjalla oli vielä vähän hunajaa ja hän työnsi

päänsä

purkkiin

ja alkoi nuolla...

Vähitellen Nasu heräsi. Kun hän oli hereillä
hän sanoi itsekseen: "Huh!" Sitten hän sanoi

urheasti: "Jaa-a", ja sitten vielä urheammin:
"Tosiaan." Mutta hän ei tuntenut itseään
kovinkaan urheaksi, sillä kaiken aikaa hänen
päässään pyöri yksi sana:

"Möhköfantti."

Minkälainen oli Möhköfantti?
Oliko se Villi?
Seurasiko se vihellystä? Ja *millä tavalla* se
seurasi?
Entä pitikö se lainkaan Porsaista?

Mikäli se piti porsaista, oliko väliä sillä *minkälainen Porsas oli?*

Entä jos se oli Villi Porsaansyöjä, auttoiko silloin mitään jos *Porsaalla oli isoisä, jonka nimi oli*

YKSITYIS ALLAN?

Hän ei osannut vastata yhteenkään näistä kysymyksistä ja hän saattaisi nähdä elämänsä ensimmäisen Möhköfantin vajaan tunnin kuluttua!

Puh olisi toki hänen kanssaan ja tietenkin kahdestaan olisi paljon Miellyttävämpää. Mutta entä jos Möhköfantit olivat hyvin Villejä Porsaan-*ja* Karhunsyöjiä? Ehkä olisi parasta teeskennellä että päätä särki, niin ei tarvitsisi mennä Kuuden Männyn luo tänä aamuna. Mutta entä jos päivä olisi oikein kaunis eikä Ansassa olisikaan

Möhköfanttia – silloin häneltä menisi koko
aamu hukkaan sängyssä maatessa.
Mitä hänen pitäisi tehdä?

Ja silloin hän sai Hienon Ajatuksen. Hän
menisi hyvin hiljaa Kuuden Männyn luo *nyt*
ja kurkkaisi varovasti Monttuun nähdäkseen,
oliko siellä Möhköfanttia.
Ja jos oli, hän menisi
takaisin sänkyyn ja jollei ollut,
hän ei menisi.

Hän lähti ulos. Ensin hänestä tuntui että
Ansassa ei ollut Möhköfanttia ja sitten
hänestä tuntui että oli, ja lähemmäksi
päästyään hän oli *varma* että oli, sillä hän
kuuli kuinka se möhki minkä kerkesi.

"Huh ja huh ja huh!" sanoi Nasu
itsekseen. Ja hänen teki mieli pinkaista
pakoon. Mutta kun hän nyt oli päässyt
näinkin lähelle, hän ei enää voinut olla
katsomatta miltä Möhköfantti näytti.
Hän hiipi Ansan reunalle ja katsoi
·Monttuun...

Nalle Puh oli kaiken aikaa yrittänyt saada
hunajapurkkia pois päästään. Mitä enemmän
hän purkkia ravisti, sitä tiukemmin se juuttui.

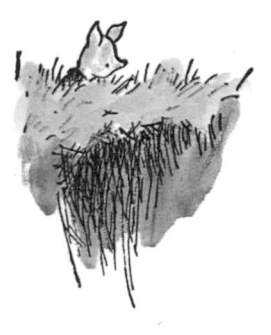

"Voi harmi!" hän sanoi – purkin sisässä – ja
"Apua!" ja (enimmäkseen) "Au!" Ja hän
yritti hakata purkkia jotakin vasten, mutta
kun hän ei nähnyt mitä vasten hakkasi, siitä
ei ollut apua. Hän yritti kiivetä ylös Ansasta,
mutta kun hän ei nähnyt mitään muuta
kuin purkkia ja sitäkin vähän, hän ei
osannut ylös. Viimein hän kohotti päänsä ja
päästi kovan mörisevän Murheen ja
Epätoivon Ulinan... ja juuri silla hetkellä
Nasu kurkisti alas.

"Apua!" huusi Nasu. "Apua, apua! Siellä on Möhköfantti, hirveä Möhköfantti!"

Ja hän kipitti tiehensä minkä jaloista pääsi huutaen mennessään:

"Apua

papua,

näin möhkeän Hirmufantin! Hirmua hirmua, söin apua Pöhköfantin!"

Eikä hän lopettanut kipitystä eikä huutoa ennen kuin pääsi Risto Reippaan talolle.

"Mikä sinua riivaa, Nasu?" kysyi Risto Reipas joka oli juuri nousemassa ylös.

"Möh", sanoi Nasu niin hengästyneenä että kykeni töin tuskin puhumaan, "Möh-, Möh-, Möhköfantti!"

"Missä?"

"Tuolla", sanoi Nasu ja heilautti koipeaan.

"Miltä se näytti?"

"Se näytti...näytti...sillä oli isoin pää minkä olen ikinä nähnyt. Iso, valtava, niin kuin, niin kuin ei mikään. Jättiläismäinen, suuri, kuin...miten sen sanoisi...kuin iso valtava ei mikään. Niin kuin purkki."

"Hyvä on", sanoi Risto Reipas ja pani kengät jalkaansa. "Minä menen katsomaan sitä. Tule mukaan."

Nasua ei pelottanut kun Risto Reipas oli hänen kanssaan ja he lähtivät matkaan...

"Se kuuluu jo, kuuletko?" sanoi Nasu
levottomana heidän lähestyessään Monttua.

"Minä kuulen kyllä *jotakin*", sanoi Risto
Reipas.

Puh siellä hakkasi päätään vasten
löytämäänsä puunjuurta.

"Siinä se on!" sanoi Nasu. "Eikö ole *kamala!*"
Ja hän piti tiukasti kiinni Risto Reippaan
kädestä.

Äkkiä Risto Reipas alkoi nauraa...

ja hän nauroi...

ja nauroi...

ja nauroi. Ja hänen vielä nauraessaan –

poks – halkesi Möhköfantin pää puun juurta vasen ja – *krak* – hajosi purkki ja Puhin pää tuli taas esiin...

Silloin Nasu näki mikä Tyhmä Nasu hän oli ollut ja häntä nolotti niin että hän juoksi suoraa päätä kotiin ja meni sänkyyn potemaan päänsärkyä. Mutta Risto Reipas ja Puh menivät kotiin syömään yhdessä aamiaista.

"Voi Karhu!" sanoi Risto Reipas. "Että minä pidän sinusta!"

"Niin minäkin", sanoi Puh.

IHAA VIETTÄÄ SYNTYMÄPÄIVÄÄ

IHAA
VIETTÄÄ
SYNTYMÄPÄIVÄÄ

Ihaa, vanha harmaa Aasi, seisoi joen rannalla
ja katsoi kuvaansa vedestä.

"Sydäntäsärkevää", hän sanoi. "Sanalla
sanoen, Sydäntäsärkevää."

Hän kääntyi ja asteli hitaasti myötävirtaan
parikymmentä metriä, kahlasi joen yli ja
käveli takaisin toista rantaa. Sitten hän katsoi
taas kuvaansa vedestä.

"Kuten arvelinkin", hän sanoi. "Yhtä
surkea *tältä* puolelta. Mutta kukaan ei välitä.
Kukaan ei huoli. Sydäntäsärkevää, sanalla
sanoen."

Sananjalat rahisivat Ihaan takana ja Puh
ilmestyi näkyviin.

"Hyvää huomenta, Ihaa", sanoi Puh.

"Hyvää huomenta, Puh-Karhu", sanoi Ihaa synkeästi. "Mikäli huomen *on* hyvä", hän jatkoi. "Mitä epäilen", hän lisäsi.

"No mutta, mikä hätänä?"

"Ei mikään, ei kerrassaan mikään. Kaikki eivät voi ja jotkut eivät viitsi. Siinä kaikki."

"Mitä eivät ja kuka?" kysyi Puh hieroen kuonoaan.

"Ilo irti. Laulu raikuu ja pelit soi. Piiri pieni pyörii, lapset siinä hyörii."

"Ai.", sanoi Puh. Hän ajatteli pitkään ja kysyi sitten: "Mitkä lapset?"

"Jubi-laari", jatkoi Ihaa synkeästi. "Se on latinaa ja tarkoittaa jubilaaria", hän selitti.

"En minä valita, mutta minkä teet."

Puh istuutui kivelle ja yritti ajatella sitä mitä Ihaa oli sanonut. Hänestä se kuulosti arvoitukselta, eivätkä arvoitukset olleet hänen vahva puolensa, hän kun oli

Pieniälyinen Karhu. Niinpä hän lauloi
piirakkalaulun:

> Piirakkaa, piirakkaa, piirakka saan.
> Tipu osaa lentää eikä tipu ollenkaan.
> Jos arvoituksen kysyt, niin minä vastaan vaan:
> *"Piirakkaa, piirakkaa, piirakkaa saan."*

Tämä oli ensimmäinen säkeistö. Kun Puh oli
saanut sen lauletuksi, Ihaa ei suoraan sanonut
ettei pitänyt siitä ja niinpä Puh lauloi hänelle
ystävällisesti toisen säkeistön.

> Piirakkaa, piirakkaa, piirakkaa saan.
> Ei kala osaa viheltää, ja kohtalon sen jaan.
> Jos arvoituksen kysyt, niin minä vastaan vaan:
> *"Piirakkaa, piirakkaa, piirakkaa saan."*

Ihaa ei edelleenkään sanonut yhtään mitään ja
niinpä Puh hyräili kolmannen säkeistön hiljaa
itsekseen:

> Piirakkaa, piirakkaa, piirakkaa saan.
> Miksi kana lienee, en tiedä kautta maan.
> Jos arvoituksen kysyt, niin minä vastaan vaan:
> *"Piirakkaa, piirakkaa, piirakkaa saan."*

"Oikein", sanoi Ihaa. "Laula. Tidadimppamppaa. Juhannus on meillä herttainen. Pidä hauskaa."

"Pidänhän minä", sanoi Puh.

"Eräiltä se käy", sanoi Ihaa.

"No mutta. Mikä hätänä?"

"Hätänäkö muka."

"Näytät murheelliselta."

"Vai murheelliselta? Miksi minä murehtisin? Tänään on minun syntymäpäiväni. Vuoden iloisin päivä."

"Onko tänään sinun syntymäpäiväsi?" kysyi Puh suuresti hämmästyneenä.

"Tietysti on. Etkö näe? Katso kaikkia lahjoja jotka olen saanut." Hän heilautti jalkaa. "Syntymäpäiväkakku. Kynttilöitä ja vaaleanpunaista sokerikuorrutusta."

Puh katsoi – ensin oikealle ja sitten vasemmalle.

"Lahjoja", sanoi Puh. "Syntymäpäiväkakku! *Missä?*"

"Etkö näe?"

”En”, sanoi Puh.

”En minäkään”, sanoi Ihaa. ”Se oli vitsi”,
hän selitti. ”Hahhaa.”

Puh raapi päätään hämmentyneenä.

”Mutta onko nyt oikein totta sinun
syntymäpäiväsi?” hän kysyi.

”On.”

”Ai! Paljon onnea sinulle päivän johdosta.”

”Ja paljon onnea sinulle.”

”Mutta ei tänään ole *minun* syntymäpäiväni.”

”Ei vaan minun.”

”Mutta sinä sanoit: 'Paljon onnea' – ”

”Miksi ei? Et kai sinä halua olla onneton kun
minulla on syntymäpäivä?”

"Ai jaa", sanoi Puh.

"Siinä on tarpeeksi kestämistä", sanoi Ihaa
murtumaisillaan, "että minä olen onneton, kun
ei ole lahjoja eikä kakkua eikä kynttilöitä eikä
kiinnitetä asianmukaista huomiota, mutta jos
kaikki muutkin rupeavat olemaan onnettomia –"

Tämä on liikaa Puhille. "Odota siinä!" hän
huudahti Ihaalle, kääntyi ja kiiruhti kotiin
minkä jaloista pääsi; sillä hänestä tuntui että
hänen olisi hankittava Ihaa-paralle *mikä tahansa*
lahja nyt heti. Ehtisihän hän keksiä kunnon
lahjan myöhemmin.

Talonsa edessä hän tapasi Nasun joka
pomppi ylös alas ja yritti ulottua kolkuttimeen.

"Terve, Nasu", sanoi Puh.

"Terve, Puh", sanoi Nasu.

"Mitä sinä oikein puuhailet?"

"Yritän ulottua kolkuttimeen", sanoi Nasu.
"Poikkesin –"

"Anna minä", sanoi Puh ystävällisesti. Hän
kurkotti ja kolkutti oveen. "Tapasin juuri
Ihaan", hän sanoi, "ja Ihaa-parka on kovin

kurjassa kunnossa, sillä hänellä on tänään
syntymäpäivä, eikä kukaan ole huomannut sitä,
ja hän on hyvin Synkeä – kyllähän sinä tiedät
Ihaan – siinä hän seisoi ja – onpas hidas
avaamaan ovea, kuka liekään." Ja hän kolkutti
uudestaan.

"Mutta tämähän on sinun talosi!" sanoi Nasu.
"Kas!" sanoi Puh. "Niinpä onkin. Mennään
sisään."

He menivät sisään. Heti ensimmäiseksi Puh meni kaapille katsomaan, sattuisiko hänellä olemaan vielä pienehköä hunajapurkkia.

Hänellä oli ja hän otti sen esiin.

"Minä annan tämän Ihaalle lahjaksi", hän selitti. "Mitä sinä aiot antaa?"

"Enkö minäkin voisi antaa sitä?" sanoi

Nasu. "Meiltä molemmilta."

"Et", sanoi Puh. "Se *ei ole* hyvä ehdotus."

"Hyvä on, minä annan hänelle sitten ilmapallon. Minulla on yksi juhlien jäljiltä. Menenkö nyt heti hakemaan sen?"

"Se on *oikein* hyvä ajatus, Nasu. Sitä juuri Ihaa kaipaa ilahtuakseen. Kukaan ei voi olla ilahtumaton saatuaan ilmapallon."

Nasu kipitti tiehensä ja Puh lähti

hunajapurkkeineen vastakkaiseen suuntaan.

Päivä oli lämmin ja matka oli pitkä. Hän oli päässyt vasta puoliväliin kun hän alkoi tuntea

joka puolella outoa kihelmöintiä. Se alkoi
kuononpäästä ja levisi läpi koko vartalon ja tuli
ulos jalkapohjista. Aivan kuin joku hänen

sisällään sanoisi: "No niin, Puh, olisi aika saada
jotakin pientä."

"Oi voi", sanoi Puh, "en huomannut että oli
jo näin myöhä." Hän istuutui ja otti kannen
purkin suulta. "Onneksi tämä oli mukana",
hän ajatteli. "Monikaan karhu ei olisi tullut
ajatelleeksi ottaa mukaansa jotakin pientä
lähtiessään kävelemään tällaisena lämpimänä
päivänä". Ja hän ryhtyi syömään.

"Miten se nyt olikaan", hän ajatteli

nuolaistuaan viimeisen kerran, "Minne minä

olin menossa? Ai niin, Ihaan luo." Hän nousi
hitaasti seisomaan.

Ja sitten hän äkkiä muisti. Hän oli syönyt
Ihaan syntymäpäivälahjan!

"Voi *harmi*!" hän sanoi. "Mitä minä *teen*?
Minun *täytyy* antaa hänelle *jotakin*."

Vähään aikaan hän ei keksinyt mitään.
Sitten hän ajatteli: "Tämä on mukava purkki
vaikka siinä ei olisikaan hunajaa. Jos pesisin sen
ja panisin jonkun kirjoittamaan siihen *Hyvä
Syntymäpäivä*, Ihaa voisi pitää siinä tavaroita, ikä
saattaisi olla Hyödyllistä." Hän kulki juuri
Puolen Hehtaarin Puiston ohi ja poikkesi
tapaamaan Pöllöä joka asui siellä.

"Hyvää huomenta, Pöllö", sanoi Puh.

"Hyvää huomenta, Puh", sanoi Pöllö.

"Onnellista Ihaan syntymäpäivää", sanoi Puh.

"Sekö tänään on?"

"Mitä aiot antaa hänelle?"

"Mitä *sinä* aiot antaa hänelle?"

"Minä annan Hyödyllisen purin jossa voi pitää tavaroita ja tulin pyytämään että sinä –"

"Tämäkö se on?" kysyi Pöllö ja otti purkin.

"Tämä juuri, ja tulin pyytämään että sinä –"

"Joku on pitänyt siinä hunajaa", sanoi Pöllö.

"Siinä voi pitää *mitä tahansa*", sanoi Puh vakavasti. "Siksi se onkin niin Hyödyllinen. Ja tulin pyytämään että sinä –"

"Siihen pitäisi kirjoittaa *Hyvä Syntymäpäivä.*"

"Sitä minä tulin sinulta pyytämään, sanoi Puh. "Sillä minun kirjoitustaitoni on Horjuva. Kirjoitus on kyllä sinänsä hyvää, mutta se Horjuu, ja kirjaimet menevät vääriin paikkoihin. Kirjoittaisitko sinä siihen *Hyvä Syntymäpäivä* minun puolestani?"

"Mukava purkki", sanoi Pöllö katsellen sitä joka polelta. "Enkö minäkin voisi antaa sitä? Meiltä molemmilta."

"Et voi", sanoi Puh. "Se *ei ole* hyvä ehdotus. Minä pesen sen ensin ja sitten sinä saat kirjoittaa siihen."

Hän pesi purkin ja kuivasi sen sillä aikaa kun Pöllö nuoli kynänpäätä ja mietti miten kirjoitetaan "syntymäpäivä".

"Puh, osaatko sinä lukea?" hän kysyi huolestuneena. "Tuolla ulkona on tauluja koputtamisesta ja soittamisesta. Risto Reipas kirjoitti ne. Osasitko lukea mitä niissä lui?"

"Risto-Reipas kertoi mitä niissä sanotaan ja sen *jälkeen* olen osannut lukea ne."

"No minä kerron sinulle mitä *tässä* sanotaan ja sen jälkeen sinä osaat lukea sen."

Pöllö kirjoitti… ja näin hän kirjoitti:

HYVY HÄVY SYNSYNYMÄTÖPÄVÄN SYMÄPÄVÄÄ.

Puh katsoi ihailevasti.

"Kirjoitin vain: 'Hyvä Syntymäpäivä' ",
sanoi Pöllö huolettomasti.

"Mukavan pitkä", sanoi Puh syvästi
vaikuttuneena.

"*Itse asiassa* kirjoitin: 'Erittäin Hyvä
Syntymäpäivä Rakkaudella Puhilta'. Kynää
kuluu luonnollisesti varsin paljon kun kirjoittaa
niin pitkästi."

"Niin varmaan", sanoi Puh.

Sillä aikaa oli Nasu mennyt takaisin omaan
kotiinsa hakemaan Ihaalle ilmapalloa. Hän
piteli sitä tiukasti itseään vasten ettei se pääsisi

lentoon ja juoksi minkä jaloista pääsi

ehtiäkseen Ihaan luo ennen Puhia, sillä hän
tahtoi olla ensimmäinen lahjantuoja, aivan
kuin hän olisi keksinyt sen kenenkään
neuvomatta. Juostessaan hän mietti miten
iloiseksi Ihaa tulisi ja unohti katsoa eteensä…
ja äkkiä hänen jalkansa osui kaniininkoloon

ja hän kaatui mahalleen.

PANG!!!???***!!!

Nasu makasi maassa ja pohti mitä oli
tapahtunut. Aluksi hän ajatteli että koko
maailma oli pamahtanut, ja sitten hän ajatteli
että ehkä siitä oli pamahtanut vain Metsä, ja

sitten hän ajatteli että ehkä vain *hän itse* oli
pamahtanut ja oli nyt ypöyksin kuussa tai
ties missä eikä enää milloinkaan tapaisi
Risto Reipasta tai Puhia tai Ihaata. Ja sitten
hän ajatteli: "No, vaikka olenkin kuussa ei
minun silti tarvitse maata mahallani koko
ajan", ja hän nousi varovasti ja katsoi
ympärilleen.

Hän oli yhä Metsässä!

"Tämäpä hassua", hän ajatteli. "Mikähän
se pamaus oli? Ei kai yksi kaatuminen voinut
sitä aiheuttaa? Entä missä ilmapallo on? Ja
mikä on tuo pieni märkä rätti?"

Se oli ilmapallo!

"Oi voi!" sanoi Nasu. "Oi voi, voi, voi!
Myöhäistä. Takaisin en enää ehdi, eikä
minulla ole toista ilmapalloa. Ehkä Ihaa *ei
erityisemmin välitäkään* ilmapalloista."

Hän kipitti eteenpäin hieman surullisena
ja tuli joen sille rannalle, jolla Ihaa seisoi, ja
huusi hänelle.

"Hyvää huomenta, Ihaa", huusi Nasu.

"Hyvää huomenta, pikku Nasu", sanoi Ihaa. "Mikäli huomen *on* hyvä", hän jatkoi. "Mitä

epäilen", lisäsi hän. "Vaikka mitä sillä väliä."

"Paljon onnea syntymäpäivän johdosta", sanoi Nasu päästyään lähemmäksi.

Ihaa lakkasi katsomasta kuvaansa vedestä ja kääntyi tuijottamaan Nasua.

"Sanopa se uudestaan", hän sanoi.
"Paljon on –"
"Odota."

Ihaa asettui seisomaan kolmelle jalalle ja
rupesi nostamaan neljättä varovasti korvaa
kohti. "Tein tämän kyllä eilen", hän selitti
kaatuessaan kolmannen kerran. "Se on
jokseenkin helppoa. Jotta tulisin paremmin…
No niin, nyt onnistui. Mitä sinä olit
sanomassa?" Hän työnsi korvaa kaviolla.
    "Paljon onnea syntymäpäivän johdosta",
sanoi Nasu.

"Siis minulle?"

"Tietysti sinulle."

"Minun syntymäpäiväni johdosta?"

"Niin juuri."

"Että minulla olisi oikea syntymäpäivä?"

"Juuri niin, Ihaa, ja olen tuonut sinulle lahjan."

Ihaa laski oikean kavion oikealta korvalta, kääntyi ja nosti monien vastoinkäymisten jälkeen vasemman kavionsa.

"Tuo täytyy kuulla toisellakin korvalla", hän sanoi. "No nyt."

"Lahjan", sanoi Nasu hyvin kovalla äänellä.

"Taas minulle?"

"Niin."

"Edelleen minun syntymäpäiväni johdosta?"

"Tietysti."

"Että minulla olisi oikea syntymäpäivä?"

"Juuri niin, Ihaa, ja minä toin sinulle ilmapallon."

"*Ilmapallon*", sanoi Ihaa. "Sanoitko ilmapallon? Sellaisen ison värikkään puhallettavan? Ilo irti, kengän kannat kopisee, laulu raikuu ja peli soi, niinkö?"

"Niin, mutta, ikävä kyllä – Ihaa, olen kauhean pahoillani – mutta kun juoksin tänne tuomaan sitä sinulle niin kaaduin."

"Voi voi, olipa onnetonta! Juoksit kai liian kovaa. Et kai satuttanut, pikku Nasu?"

"En mutta… mutta… voi, Ihaa, ilmapallo puhkesi!"

Hetken oli äänetöntä.

"Minun ilmapalloni."

Nasu nyökkäsi.

"Minun syntymäpäiväilmapalloni."

"Se juuri", sanoi Nasu ja niiskutti vähän.
"Tässä se on. Ole hyvä – paljon onnea
syntymäpäivän johdosta." Ja hän antoi Ihaalle
pienen märän rätin.

"Tämäkö se on?" kysyi Ihaa
hämmästyneenä.

Nasu nyökkäsi.

"Minun lahjani."

Nasu nyökkäsi taas.

"Ilmapallo."

"Niin."

"Kiitos Nasu", sanoi Ihaa. "Saan kai kysyä",
hän jatkoi, "saan kai kysyä, minkä värinen
minun ilmapalloni oli – silloin kun se *oli*
ilmapallo?"

"Punainen."

"Tuli vain mieleen… punainen", hän mutisi
itsekseen. "Minun lempivärini… Kuinka suuri
se oli?"

"Suunnilleen minun kokoiseni."

"Tuli vain mieleen… Suunnilleen Nasun

kokoinen". hän sanoi surullisesti itsekseen.
"Minun lempikokoni. Jaa jaa."

Nasu tunsi olonsa hyvin kurjaksi eikä tiennyt
mitä sanoa. Hän aukoi suutaan aikeissa sanoa
jotakin mutta päätti sitten ettei *sitä* ollut hyvä

sanoa, ja silloin hän kuuli joen takaa huudon
ja Puh ilmestyi näkyviin.

"Paljon onnea syntymäpäivän johdosta",
huusi Puh unohtaen että hän oli sanonut
sen jo.

"Kiitos Puh, minulla on", sanoi Ihaa synkeästi.

"Olen tuonut sinulle pienen lahjan", sanoi Puh innoissaan.

"Sain jo", sanoi Ihaa.

Puh kahlasi joen yli Ihaan luo. Nasu istui vähän matkan päässä pää käpälien välissä ja niiskutti.

"Se on Hyödyllinen Purkki", sanoi Puh. "Kas tässä. Ja siihen on kirjoitettu 'Erittäin Hyvä Syntymäpäivä Rakkaudella Puhilta'. Nämä kirjoitukset tarkoittavat sitä. Ja siihen pannaan tavaroita. Ole hyvä."

Kun Ihaa näki purkin, hän aivan innostui.

"No mutta", hän sanoi. "Minun Ilmapalloni taitaa sopia erinomaisesti tuohon Purkkiin!"

"Ei Ihaa", sanoi Puh. "Ilmapallot ovat liian isoja Purkkeihin. Ilmapalloille tehdään niin että niistä idellään –"

"Ei minun ilmapallolleni", sanoi Ihaa ylpeänä. "Katso Nasu!" ja kun Nasu katsoi surullisena ympärilleen, Ihaa otti ilmapallon

hampaillaan maasta ja pani sen varovasti
purkkiin, nosti pois ja pani maahan ja nosti
maasta ja pani varovasti takaisin.

"Totta tosiaan!" sanoi Puh. "Se menee
sisään!"

"Totta tosiaan!" sanoi Nasu. "Ja tulee ulos!"

"Eikös vaan", sanoi Ihaa. "Menee sisään ja
tulee ulos kuin ei mitään."

"Olipa hyvä että tulin ajatelleeksi Hyödyllistä
Purkkia johon pannaan tavaroita", sanoi Puh
onnellisena.

"Olipa hyvä että tulin ajatelleeksi Tavaraa
joka pannaan Hyödylliseen Purkkiin", sanoi
Nasu onnellisena.

Mutta Ihaa ei kuunnellut. Hän otti ilmapallon ulos ja pani sen sisään niin iloisena että…

"Enkö minä antanut hänelle mitään?" kysyi Risto Reipas onnettomana.

"Annoit toki", minä sanoin. "Sinä annoit… etkö muista… pienen… pienen –"

"Minä annoin hänelle vesivärit."

"Niin annoitkin."

"Miksen antanut niitä jo aamulla?"

"Sinulla oli niin paljon puuhaa juhlavalmisteluissa. Hän sai kuorrutetun kakun jossa oli kolme kynttilää ja hänen nimensä oli kirjoitettu siihen vaaleanpunaisella sokerilla ja –"

"Muistanhan minä", sanoi Risto Reipas.

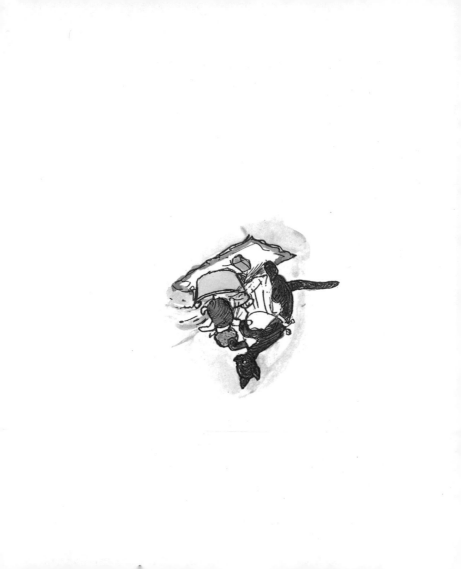

KANGA JA
PIKKU RUU
SAAPUVAT METSÄÄN

KANGA JA
PIKKU RUU
SAAPUVAT METSÄÄN

Kukaan ei näyttänyt tietävän mistä he tulivat.
Eräänä päivänä he vain olivat Metsässä:
Kengu ja Pikku Ruu. Kun Puh kysyi Risto
Reippaalta: "Miten he ovat joutuneet tänne?"
Risto Reipas vastasi: "Niin kuin muutkin,
tiedäthän sinä Puh", ja Puh joka ei tiennyt

sanoi: "Ai!" ja sitten hän nyökkäsi kahdesti ja sanoi: "Niin kuin muutkin. Vai niin." Sitten hän meni tapaamaan ystäväänsä Nasua kuullakseen mitä mieltä Nasu oli. Ja Nasun luona hän tapasi Kanin ja he pohtivat asiaa kolmisin.

"Sanonpa teille mistä minä en tässä pidä", sanoi Kani. "Tässä me olemme – sinä Puh ja sinä Nasu ja Minä – ja yhtäkkiä –"

"Ja Ihaa", sanoi Puh.

"Ja Ihaa – ja aivan yhtäkkiä –

"Ja Pöllö", sanoi Puh.

"Ja Pöllö – ja aivan yllättäen –"

"Niin ja Ihaa", sanoi Puh. "Olin unohtaa *hänet.*"

"Tässä… me… olemme", sanoi Kani hitaasti ja määrätietoisesti, "me Kaikki, ja

yhtäkkiä, herätessämme eräänä aamuna –
mitä havaitsemmekaan? Havaitsemme Oudon
Eläimen keskuudessamme. Eläimen josta
emme ole koskaan edes kuulleet! Eläimen joka
kanniskelee sukua taskussaan! Entäpä jos
minä rupeaisin kanniskelemaan sukua
taskussani, montako taskua minulla pitäisi
olla?"

"Kuusitoista", sanoi Nasu.

"Seitsemäntoista tietääkseni", sanoi Kani.
"Ja vielä yksi nenäliinaa varten – tekee
kahdeksantoista. Kahdeksantoista taskua
yhdessä puvussa! Mitä siitä tulisi?"

Syntyi pitkä ja mietteliäs hiljaisuus... ja
sitten sanoi Puh joka oli kurtistellut kulmiaan
jo muutaman minuutin ajan: "Saan kokoon
viisitoista."

"Mitä?" sanoi Kani.

"Viisitoista."

"Viisitoista mitä?"

"Sinun sukulaisiasi."

"Mitä heistä?"

Puh hieroi kuonoaan ja sanoi että oli luullut Kanin puhuvan suvustaan.

"Ei kai?" sanoi Kani välinpitämättömästi.

"Kyllä vaan, sinä sanoit –"

"Anna olla, Puh", sanoi Nasu kärsimättömästi. "Kysymys on siitä, mitä me teemme Kkengulle."

"Ai niinkö?" sanoi Puh.

"Näppärintä olisi", sanoi Kani. "näppärintä olisi varastaa Pikku Ruu ja piilottaa hänet ja kun rouva Kengu sanoo: 'Missä on Piku Ruu?' me sanomme: *'Ahaa!'* "

"Ahaa!" sanoi Puh ikään kuin harjoitellakseen. *Ahaa! Ahaa!* Me voisimme tietysti sanoa *'Ahaa!'* vaikka emme olisikaan varastaneet Pikku Ruuta". hän jatkoi.

"Puh", sanoi Kani lempeästi, "sinä olet älytön."

"Tiedän sen", sanoi Puh nöyrästi.

"Me sanomme *'Ahaa!'* osoittaaksemme Kengulle että *me* tiedämme missä Pikku Ruu On. *'Ahaa!'* tarkoittaa: 'Kerromme sinulle missä pikku Ruu on jos lupaat häipyä Metsästä palaamatta milloinkaan.' Älkääkä nyt puhuko kun minä ajattelen."

Puh meni nurkkaan ja yritti sanoa *'Ahaa!'* sopivalla äänellä. Välillä hänestä kuulosti siltä että se tarkoitti sitä mitä Kani oli sanonut ja välillä hänestä kuulosti että ei. "Se on varmaan kiinni harjoituksesta", hän ajatteli. "Entä jos Kengukin tarvitsee harjoitusta ymmärtääkseen sen?"

"Yksi juttu vielä", sanoi Nasu liikehtien levottomasti. "Puhelin Risto Reippaan kanssa ja hän sanoi että Yleisen Käsityksen mukaan Kengu on Villi Eläin. En minä pelkää tavanomaisella tavalla Villejä Eläimiä, mutta tiedetään että Villi Eläin muuttuu Villimmäksi kuin Villi jos siltä Viedään Poikaset. Siinä tapauksessa ei ehkä ole aivan *viisasta* sanoa 'Ahaa!' "

"Nasu", sanoi Kani, otti esiin kynän ja nuoli sen päätä, "sinä olet sisuton."

"On vaikeata olla rohkea", sanoi Nasu vähän niiskuttaen, "kun on vain Hyvin Pieni Eläin."

Kani oli ruvennut innokkaasti kirjoittamaan ja katsahti sitten ylös ja sanoi:

"Siitä syystä että sinä olet hyvin pieni eläin, sinusta on Hyötyä seikkailussa joka meitä odottaa."

Nasu innostui kovasti siitä että hänestä olisi Hyötyä ja unohti kokonaan pelätä, ja kun Kani vielä sanoi että Kengut ovat Villejä vain talvisaikaan ja että muina aikoina ne ovat lempeäluontoisia, Nasulla oli vaikeuksia istua alallaan sillä hän halusi niin kovin olla hyödyksi heti paikalla.

"Entä minä?" kysyi Puh surullisena. "Minusta ei kai ole mitään hyötyä?"

"Älä sure, Puh", lohdutti Nasu. "Ehkä sitten toisen kerran."

"Ilman Puhia seikkailusta ei tulisi mitään", sanoi Kani juhlallisesti teroittaessaan kynäänsä.

"Ai!" sanoi Nasu ja yritti peittää pettymyksensä. Mutta Puh meni nurkkaan ja sanoi tyytyväisenä itsekseen: "Ei Mitään ilman minua! Minä olenkin Sellainen Karhu."

"Kuunnelkaa nyt molemmat", sanoi Kani lopetettuaan kirjoittamisen, Puh ja Nasu istuivat suu auki kuunnellen innokkaina kun Kani luki:

SUUNNITELMA PIKKU RUUN PYYDYSTÄMISEKSI

1. *Yleisiä huomautuksia*. Kengu juoksee kovempaa kuin kukkaan Meistä, edes Minä.
2. *Lisää Yleisiä Huomautuksia*. Kengu ei koskaan päästä Pikku Ruuta silmistään paitsi kun tämä on visusti napitettu taskuun.

3. *Sen tähden.* Jos aiomme pyydystää Pikku Ruun, meidän täytyy saada Etumatkaa, sillä Kengu juoksee nopeammin kuin kukaan Meistä, edes Minä. (Katso Kohta 1.)
4. *Ajatus.* Jos Ruu hyppäisi pois Kengun taskusta ja Nasu hyppäisi tilalle, Kengu ei huomaisi eroa, sillä Nasu on Hyvin Pieni Eläin.
5. Kuten Ruu.
6. Mutta Kengun on ensin katsottava toisaalle, ettei hän näe kun Nasu hyppää taskuun.
7. Katso Kohta 2.
8. *Toinen Ajatus.* Mutta jos Puh puhuisi rouvalle hyvin innokkaasti, tämä *saattaisi* katsoa toisaalle hetkeksi.
9. Ja silloin minä voisin juosta tieheni Ruun kanssa.
10. Nopeasti.
11. *Eikä Kengu huomaisi eroa ennen uin vasta Myöhemmin.*

Kani luki tyytyväisenä suunnitelmansa eikä
kukaan sanonut vähään aikaan mitään.
Lopulta Nasu joka jo jonkin aikaa oli aukonut
suutaan saamatta ääntä, onnistui sanomaan
käheästi:

"Entä Myöhemmin –"

"Mitä tarkoitat?"

"Kun Kengu Huomaa Eron."

"Silloin me sanomme kaikki '*Ahaa!*' "

"Kaikki kolmeko?"

"Kaikki."

"Ai."

"Miten niin, onko jokin vinossa?"

"Ei mikään", sanoi Nasu. "Kunhan *me kaikki
kolme* sanomme sen. Ei sillä niin väliä", hän
jatkoi, "Mutta en mielelläni sanoisi yksin
'*Ahaa!* Se ei kuulostaisi *läheskään* yhtä hyvältä.
Muuten", hän vielä lisäsi, "oletko aivan varma
siitä mitä sanoit talvisajasta?

"Sanoinko jotain talvisajasta?"

"Sanoit että ne ovat Villejä vain
talvisaikaan."

"Ai niin, pitää paikkansa.
No Puh, käsitätkö mitä sinun
tulee tehdä?"

"En", sanoi Puh-Karhu.
"En vielä. *Mitä* minun pitää
tehdä?"

"Sinä vain puhut niin
innokkaasti Kengun kanssa
ettei hän huomaa mitään."

"Mistä?"

"Mistä tahansa."

"Sopiiko että lausun runoja.?"

"Mainiota", sanoi Kani. "Loistavaa. Tulkaa
mukaan."

He menivät etsimään Kengua.

Kengu ja Ruu viettivät rauhallista iltapäivää
Metsässä eräällä hiekkaisella rinteellä. Pikku
Ruu harjoitteli hiekassa pieniä hyppyjä, putoili
hiirenkoloihin ja ryömi niistä ylös ja Kengu
liikahti levottomasti ja sanoi: "Enää yksi hyppy
ja sitten kotiin." Ja kukapa silloin tallusti
rinnettä ylös ellei Puh.

"Hyvää päivää, Kengu."

"Hyvää päivää, Puh."

"Katso kun minä hyppään", piipitti Ruu ja putosi taas hiirenkoloon.

"Terve, Pikku Ruu."

"Olimme juuri lähdössä kotiin", sanoi Kengu. "Hyvää päivää, Kani. Hyvää päivää, Nasu."

Kani ja Nasu jotka olivat tulleet vastakkaista rinnettä sanoivat "Hyvää päivää" ja "Terve, Ruu", ja Ruu pyysi heitä katsomaan kun hän hyppäsi, ja he jäivät katsomaan.

Ja Kengukin katsoi…

"Ai niin, Kengu", sanoi Puh kun Kani oli vilkuttanut hänelle kahdesti silmää, "mahdatko olla lainkaan kiinnostunut Runoudesta?"

"En juuri lainkaan", sanoi Kengu.

"Ai", sanoi Puh.

"Ruu-kultaseni, enää yksi hyppy ja sitten kotiin."

Oli hetken hiljaista. Ruu putosi taas hiirenkoloon.

"Jatka", kuiskasi Kani kuuluvasti käpälänsä suojasta.

"Runoudesta puheen ollen", sanoi Puh, "Minä tein pienen runon tullessani tänne. Se kuuluu näin. Mmmm... tuota –"

"Jopa jotakin", sanoi Kengu. "Nyt Ruu-kultaseni –"

"Sinä pitäisit tästä runosta", sanoi Kani.

"Se olisi sinusta ihana", sanoi Nasu.

"Kuuntele hyvin tarkkaan", sanoi Kani.

"Ettei mitään mene ohi korvin", sanoi Nasu.

"Mikäs siinä", sanoi Kengu mutta katseli yhä Pikku Ruuta.

"*Miten* se kuuluu", Puh?" kysyi Kani.

Puh yskäisi aloitti:

PIENIÄLYISEN KARHUN
KIRJOITTAMIA SÄKEITÄ

Kun maanantai on helteinen
niin itseltäni kyselen:
"Tottako puhuu tuo vai ken
mikä on miksi millainen?"

Kun tiistaina vain pyryttää,
mielessä tunne viriää:
ei kukaan taida ymmärtää,
siksi vai täksi mikä jää.

Kun keskiviikko kauniin sään
tuo, minä joutilaaksi jään
ja mietin, onko ensinkään
mikä tai kuka mitenkään.

Kun torstain tullen pakastuu
ja kuuraan peittyy joka puu,
niin havaitsemaan havahtuu:
muu mikä on – vaan mikä muu?

Kun perjantai…

"Eikö totta?" sanoi Kengu odottamatta enää
mitä perjantaina tapahtui. "Enää yksi hyppy,
Ruu-kulta, ja sitten *vihdoin* kotiin."

Kani nykäisi Puhia hoputtaakseen
häntä.

"Runoudesta puheen ollen", sanoi Puh
nopeasti, "oletko koskaan huomannut tuota
puuta?"

"Mitä puuta?" kysyi Kengu. "No niin
Ruu –"

"Tuota joka on tuolla", sanoi Puh
osoittaen käpälällään Kengun selän taakse.

"En", sanoi Kengu. "Hyppää taskuun,
Ruu-kulta, nyt mentiin kotiin."

"Sinun pitäisi katsoa tuota puuta", sanoi
Kani. "Nostanko sinut, Ruu?" Ja hän otti Ruun
käpäliinsä.

"Puussa näyttää istuvan lintu", sanoi Puh.
"Vai onko se kala?"

"Linnun pitäisi näkyä tähän", sanoi Kani.
"Mikäli se ei ole kala."

"Ei se ole kala, se on lintu", sanoi Nasu.

"Siltä näyttää", sanoi Kani.

"Onko se kottarainen vai mustarastas?" kysyi Puh.

"Siinäpä se", sanoi Kani. "Onko se mustarastas vai kottarainen?"

Ja silloin Kengu käänsi viimein päänsä ja katsoi. Ja kun hänen päänsä oli kääntynyt, Kani sanoi kuuluvasti: "Sisään vain, Ruu!" ja Nasu hypähti Kengun taskuun ja Kani kiiti tiehensä Ruu käpälissään minkä jaloista pääsi.

"No mutta missä Kani on?" kysyi Kengu käännettyään päänsä takaisin.

"Oletko hyvin siellä, Ruu-kulta?"

Nasu päästi piipittävän Ruu-äänen Kengun taskun pohjalta.

"Kani joutui lähtemään", sanoi Puh. Hän varmaan muisti jotakin, mitä hänen piti mennä äkkiä hoitamaan."

"Ja Nasu."

"Nasu varmaan muisti jotakin samaan aikaan. Aivan yllättäen."

"No, me lähdemme tästä kotiin", sanoi Kengu. "Näkemiin, Puh." Kolmella pitkällä hypyllä hän oli poissa.

Puh katsoi hänen peräänsä.

"Osaisinpa minä hyppiä noin", hän ajatteli. "Toiset osaavat, toiset eivät. Minkä teet."

Mutta hetkittäin Nasu toivoi että Kengu ei olisi osannut. Usein hän oli pitkällä kotimatkalla Metsän läpi toivonut olevansa lintu, mutta nyt hän ajatteli töksähdellen Kengun taskun pohjalla:

li   tään   sovi
"Mikä   tällä   lenne se ei   sesti   minul
    lailla   toti   le."

Aina lennähtäessään ylöspäin hän sanoi:
"*Uuuuuu!*" ja alas pudotessa häneltä pääsi
"Au!" Koko matkan Kengun talolle hän
äänteli "*Uuuuuu-au, uuuuuuu-au uuuuuu-au!*"

Heti avattuaan taskunnapit rouva Kengu
tietysti huomasi, mitä oli tapahtunut. Hetken
hän jo luuli pelästyneensä, mutta tajusi kohta
ettei ollut, sillä hän oli varma ettei Risto
Reipas antaisi Ruulle sattua mitään pahaa.
Hän sanoi itsekseen: "Pilailkoot minun
kustannuksellani, minä pilailen heidän
kustannuksellaan."

"No niin, Ruu-kulta", hän sanoi
ottaessaan Nasun pois taskusta. "Nyt
nukkumaan."

"*Ahaa!*" sanoi Nasu niin hyvin kuin taisi
Kauhistuttavan matkan jälkeen. Mutta se ei

ollut erityisen hyvä "*Ahaa!*" eikö Kengu
näyttänyt ymmärtävän mitä se tarkoitti.

"Ensin kylpyyn", sanoi Kengu iloisesti.

"*Ahaa!*" toisti Nasu katsellen levottomana
näkyisikö muita. Muita ei näkynyt. Kani
leikki Pikku Ruun kanssa kotonaan ja alkoi
pitää hänestä yhä enemmän ja Puh, joka oli
päättänyt ruveta Kenguksi, oli jäänyt
hiekkarinteelle harjoittelemaan hyppyjä.

"Ehkäpä", sanoi Kengu miettiväisesti,
"ehkäpä *kylmä* kylpy ei olisi pahitteeksi tänä
iltana. Mitä siitä pitäisit, Ruu-kulta?"

Nasu joka ei ollut koskaan erityisemmin
pitänyt kylpemisestä värisi pitkään ja
närkästyneesti ja sanoi niin rohkealla äänellä
kuin ikinä:

"Kengu, on koittanut aika puhua suoraan."

"Hassu pikku Ruu", sanoi Kengu
valmistaessaan kypyvettä.

"Minä *en ole* Ruu", sanoi Nasu kovalla
äänellä. "Minä olen Nasu."

"Niin niin", sanoi Kengu rauhoittavasti.
"Matkii oikein Nasun ääntä. Nokkela poika",
hän jatkoi ottaessaan kaapista ison palan

keltaista saippuaa. "Mitä hän keksiikään seuraavaksi?"

"Etkö *näe*?" huusi Nasu. "Eikö sinulla ole *silmiä päässä*? Katso minua!"

"Minä katson *koko ajan*, Ruu-kulta", sanoi Kengu ankaraan sävyyn. "Etkö muka muista mitä sanoin sinulle eilen naaman vääntelystä. Jos vääntelet naamaasi nasumaisesti, sinusta tulee isona Nasun näköinen – ajattele miten sinua sitten harmittaisi. No niin, vatiin vain.

Montako kertaa minun pitää selittää samaa asiaa?"

Ennen kuin tiesikään Nasu oli vadissa ja Kengu hankasi häntä pontevasti saippuaisella lapulla.

"*Au!*" huusi Nasu. "Päästä pois! Minä olen Nasu!"

"Älä auo suutasi, kultaseni, tai sinne menee saippuaa", sanoi Kengu. "Siinä sitä ollaan! Mitä minä sanoin!"

"Sinä… sinä… sinä teit sen tahallasi", pärski Nasu kun pystyi taas puhumaan – ja sai kuin saikin suunsa taas täyteen saippuaista pesulappua.

"Oikein, kultaseni, älä puhu", sanoi Kengu ja hetken kuluttua Nasu pääsi pois vadista ja häntä hierottiin kuivaksi pyyhkeellä.

"Ja nyt", sanoi Kengu, "nyt lääkettä ja sitten nukkumaan."

"Mi-mi-mitä lääkettä?" kysyi Nasu.

"Se kasvattaa sinut isoksi ja vahvaksi. Ethän sinä halua jäädä pieneksi ja heikoksi

niin kuin Nasu? Sitä minäkin."

Juuri silloin kuului ovelta koputus.

"Sisään", sanoi Kengu, ja sisään astui
Risto Reipas.

"Risto, Risto Reipas!" huusi Nasu.
"Kerro Kengulle kuka minä olen!
Hän väittää että minä olen Ruu.
Enhän minä ole Ruu?"

Risto Reipas katsoi Nasua tarkkaan ja
pudisti päätään.

"Et voi olla Ruu", hän sanoi, "sillä olen juuri nähnyt Ruun leikkimässä Kanin luona."

"No mutta!" sanoi Kengu. "Jopa jotakin. Että minä erehdyin sillä tavalla!"

"Siinä kuulit! Mitä minä sanoin", sanoi Nasu. "Minä olen Nasu."

Risto Reipas pudisti taas päätään.

"Ehei, et sinä ole Nasu", hän sanoi. "Minä tunnen Nasun hyvin, eikä hän ole *lainkaan* tuon värinen."

Nasu oli sanomaisillaan että väri johtui kylvystä, johon hän oli vastikään joutunut, ja tuli sitten ajatelleeksi ettei ehkä sanoisikaan sitä, ja kun hän avasi suunsa sanoakseen jotakin muuta, Kengu sujautti lääkelusikan suuhun ja taputti häntä selkään ja sanoi että maku oli itse asiassa miellyttävä kun siihen tottui.

"Sitä minäkin ettei se ollut Nasu", sanoi Kengu. "Kukahan se on?"

"Ehkä joku Puhin sukulainen", sanoi Risto Reipas. "Ehkä veljenpoika tai eno tai joku sellainen."

Kengu oli samaa mieltä ja sanoi että heidän pitäisi antaa sille joku nimi.

"Minä sanon sitä Puhkuksi", sanoi Risto Reipas. "Kutsumanimi Heikki Puhku."

"Tuskin tämä oli päätetty kun Heikki Puhku vääntäytyi Kengun käpälistä ja hyppäsi maahan. Hänen riemukseen Risto Reipas oli jättänyt oven auki. Heikki Nasu Puhku ei ollut milloinkaan juossut niin kovaa, eikä hän lopettanut juoksua ennen kuin kotiportilla. Vähän matkan päässä kotoaan hän lakkasi juoksemasta ja kieri loppumatkan saadakseen takaisin oman mukavan värinsä…

Kengu ja Ruu jäivät siis Metsään. Ja Ruu vietti joka tiistain hyvän ystävänsä Kanin kanssa, ja Kengu vietti joka tiistain hyvän ystävänsä Puhin kanssa ja opetti häntä hyppimään, ja Nasu vietti joka tiistain hyvän ystävänsä Risto Reippaan kanssa. Niin olivat kaikki taas tyytyväisiä.

RAPARETKI
POHJOIS-
VAVALLE

Eräänä kauniina päivänä Puh tallusteli
Metsän korkeimmalle kohdalle nähdäkseen
kiinnostivatko Karhut lainkaan hänen
ystäväänsä Risto Reipasta. Hän oli samana
aamuna aamiaisellaan (yksinkertainen ateria
joka käsitti pari ohuesti marmelaatilla
päällystettyä hunajakakkua) keksinyt äkkiä
uuden laulun. Se alkoi näin:

Hei, karhun elämää, hei hoo!

Päästyään tähän asti hän raapi päätään ja
ajatteli itsekseen: "Oikein hyvä laulun alku,
mutta entä toinen säe?" Hän yritti laulaa
"Hei hoo", pariin kolmeen kertaan mutta siitä

ei ollut apua. "Ehkä olisi
parempi laulaa
'Hei, karhun elämää, hei
haa'. "Ja hän lauloi…
mutta laulu ei siitä
parantunut. "Hyvä on",
hän sanoi, "laulan

ensimmäisen säkeen kaksi kertaa. Jos laulan
oikein nopeasti, ehkäpä laulankin kolmatta
säettä ennen kuin huomaan mitään ja ties
kuinka hyvä laulu tästä syntyy.
No niin.

Hei, karhun elämää, hei hoo!
Hei, karhun elämää, hei hoo!
Mitä siitä jos sää on sateinen ja huono,
kun hunajaa vain saa tämä soma uusi kuono!
Mitä siitä jos pyryttää tai on sula maa,
kun hunajaa vain tämä soma kuono maiskuttaa!
Hei, karhun elämää, hei hoo!
Puh-Karhun elämää!
Ja tunnin parin päästä suuhun vähän imelää!

Tämä laulu miellytti häntä niin että hän
lauloi sitä koko matkan metsän korkeimmalle
kohdalle saakka. "Ja jos vielä jonkin aikaa
laulan", hän ajatteli, "on kohta aika saada
jotakin pientä, eikä viimein säe olekaan enää
totta." Hän vaihtoi laulun hyräilyksi.

Risto Reipas istui ovensa edessä ja veti jalkaan Isoja Saappaitaan. Heti kun Puh näki Isot Saappaat, hän tiesi että oli odotettavissa Seikkailu, ja hän pyyhki hunajan kuonoltaan käpälänsyrjällä ja ojentautui parhaan kykynsä mukaan näyttääkseen Valmiilta Kaikkeen.

"Huomenta, Risto Reipas", hän huudahti.

"Terve vaan, Puh-Karhu. En saa saapasta jalkaan."

"Paha juttu", sanoi Puh.

"Ole kiltti ja nojaa minuun vähän. Vedän koko ajan niin kovaa että lennän selälleni."

Puh istuutui, kaivoi tassut maahan ja painautui lujasti Risto Reippaan selkää vasten ja Risto Reipas painautui lujasti Puhin selkää vasten ja veti ja veti saapasta kunnes sai sen jalkaan.

"Selvän teki", sanoi Puh. "Mitä me nyt teemme?"

"Me varustamme Retkikunnan ja lähdemme Vaparetkelle", sanoi Risto Reipas

noustessaan
seisomaan ja
pudistellessaan
itseään. "Kiitos
Puh."

"Minkä me
varastamme?" kysyi
Puh innostuneena. "Tarvitaanko sitä sillä –
retkellä?"

"Varustamme, Pöhkö Karhu. "Siinä on
uu."

"Ai niinkö", sanoi Puh. "Käsitän."
Mutta ei hän käsittänyt.

"Me löydämme Pohjoisvavan."

"Ai niinkö?" sanoi Puh taas. "Mikä se
on?" hän kysyi.

"Sellainen mikä löydetään", sanoi Risto
Reipas huolettomasti tietämättä oikein
itsekään.

"Vai niin, vai niin", sanoi Puh. "Ovatko
Karhut hyviä löytämään niitä?"

"Ovat tietysti. Ja Kani ja Kengu ja

kaikki. Siitä tulee Pohjoisvaparetkikunta. Retkikunta tarkoittaa sitä. Pitkää jonoa jossa kaikki ovat. Mene nyt sanomaan muille että laittavat itsensä valmiiksi sillä aikaa kun minä panen pyssyni kuntoon. Ja kaikki ottavat mukaan Muonavaroja."

"Ottavat mukaan mitä?"

"Syötävää."

"Ai niinkö", sanoi Puh helpottuneena. "Kuvittelin sinun sanoneen Muonavaroja. Menen sanomaan kaikille." Ja hän tallusti tiehensä.

Ensimmäiseksi hän tapasi Kanin.

"Terve, Kani", hän sanoi, "sinäkö siinä?"

"Leikitään etten ole", sanoi Kani, "ja katsotaan mitä tapahtuu."

"Minulla on sinulle viesti."

"Minä vien sen hänelle."

"Me varustamme kaikki Raparetken Risto Reippaan kanssa!"

"Mikä se on?"

"Kai se on jonkinlainen rivi."

"Vai rivi."

"Juuri niin. ja tarkoitus on löytää Tohjo tai joku. Vai oliko se Kohjo? Joka tapauksessa taroitus on löytää se."

"Todellako?" Sanoi Kani.

"Kyllä vaan. Ja meidän pitää ottaa mukaan muonavaroja. Siltä varalta että ne maistuisivat. Nyt minä menen Nasun luo. Kerrothan kengulle."

Hän lähti Kanin luota ja kiiruhti Nasun talolle. Puhin tullessa Nasu istui kotiovensa edessä ja puhalteli tyytyväisenä voikukan höytyviä yrittäen saada selville, tapahtuisiko se tänä vuonna, ensi vuonna, joskus, vai ei koskaan. Hän oli juuri saanut selville että se ei tapahtuisi koskaan ja yritti muistella mikä se oli ollut toivoen ettei *se* ollut mitään mukavaa.

"Kuule Nasu", sanoi Puh innoissaan, "me varustamme Raparetken kaikki yhdessä ja ruokaakin on. Tarkoitus on löytää joku."

"Löytää mikä?"

"Joku vain."

"Ei kai mitään Villiä?"

"Risto reipas ei puhunut villeydestä mitään. Hän sanoi että siinä olisi uu."

"Suu saa olla kunhan hampaat eivät ole isot", sanoi Nasu vakavasti. "Mutta jos Risto Reipas tulee mukaan, ei ole mitään hätää."

Jonkin ajan kuluttua olivat kaikki kokoontuneet metsän korkeimmalle kohdalle ja Vaparetki saattoi alkaa. Ensimmäisenä kulkivat Risto Reipas ja Kani, sitten Nasu ja Puh, sitten Kengu Ruu taskussaan, sitten Pöllö, sitten Ihaa ja viimeisenä kaikki Kanin omaiset ja ystävät pitkänä jonona.

"En pyytänyt heitä mukaan", sanoi Kani ohimennen. "He vain tulivat. Niin kuin aina. Saavat kävellä viimeisinä, Ihaan jäljessä."

"Sanon vain", sanoi Ihaa, "että Rasittavaa. Minun ei tehnyt mieleni lähteä tälle Rapalle – no, mistä Puh puhui. Tulin pelkästä kohteliaisuudesta. Mutta tässä minä nyt olen; ja jos olen Rapan – sen niin – viimeinen, niin antakaa minun myös olla viimeinen. Jos minun on lakaistava syrjään puolitusinaa Kanin pientä omaista ja ystävää joka kerran kun haluan istuutua hetkeksi lepäämään, silloin tämä ei enää ole Rapa – mikä liekään – vaan pelkkä Hälinä. Sen minä vai sanon."

"Ymmärrän kyllä mitä Ihaa tarkoittaa", sanoi Pöllö. "Jos minulta kysytään –"

"Minä en kysy keneltäkään", sanoi Ihaa. "Minä kerron kaikille. Etsitään Pohjoisvapaa, leikitään piirileikkiä muurahaispesässä. Sama se minulle on."

Jonon kärjestä kuului huuto.

"Eteenpäin!" huusi Risto Reipas.

"Eteenpäin!" huusivat Puh ja Nasu.

"Eteenpäin!" huusi Pöllö.

"Me lähdemme nyt", sanoi Kani. "Minun täytyy mennä." Ja hän kiiruhti kärkeen Risto Reippaan rinnalle.

"Hyvä on", sanoi Ihaa. "Lähdetään. Mutta Älkää Sitten Syyttäkö Minua."

Niin he lähtivät joukolla Vapaa löytämään. Ja kävellessään he juttelivat

niitä näitä – kaikki paitsi Puh joka teki uutta laulua.

"Tämä on ensimmäinen säkeistö", hän sanoi Nasulle saatuaan sen valmiiksi.

"Minkä ensimmäinen säkeistö?"

"Minun lauluni."

"Minkä laulun."

"Tämän näin."

"Minkä niin?"

"Jos kuuntelet niin saat kuulla."

"Mistä päättelet että en kuuntele?"

Siihen Puh ei osannut vastata ja niin hän alkoi laulaa.

He kaikki lähtivät löytämään Vapaa,
　　Pöllä ja Nasu ja Kani ja jokainen muu;
se on jotain minkä löytää voi jollakin tapaa
　　Pöllö ja Nasu ja jokainen muu.
Ihaa, Risto ja Puh myös lähtivät mukaan,
Kanin omaiset – vaikka ei kutsuttuaan –
vaan missä Vapa oli, ei tiennyt kukaan…
　　Hei hoo! Hei Pöllö ja Kani ja jokainen muu!

"Hys!" sanoi Risto Reipas kääntyen
Puhin puoleen. "Olemme juuri tulossa
Vaaralliseen Paikaan."

"Hys!" sanoi Puh kääntyen nopeasti
Nasun puoleen.

"Hys!" sanoi Nasu Kengulle.

"Hys!" sanoi Kengu Pöllölle ja Ruu
sanoi "Hys!" useita kertoja hiljaa
itsekseen.

"Hys!" sanoi Pöllö Ihaalle.

"*Hys!*" sanoi Ihaa kauhealla äänellä
kaikille Kanin omaisille ja ystäville ja he
kaikki sanoivat toisilleen hätäisesti "Hys!"
pitkin jonoa kunnes "Hys!" saavutti
viimeisen joukosta. Ja pienin ja viimeinen
omainen ja ystävä hermostui niin siitä, että
koko Vaparetki sanoi hänelle "Hys!" että
hän kaivautui pää edellä maanrakoon ja
pysytteli siellä kaksi
päivää kunnes
vaara oli ohi ja
meni sitten kiireesti
kotiin ja eli
hiljaiseloa Tätinsä
kanssa päiviensä
päähän. Hänen nimensä oli Aleksanteri
Sarvijaakko.

Oli saavuttu purolle joka kiemurteli ja
syöksähteli korkeiden kalliorantojen välissä.
Risto Reipas oli heti nähnyt miten
vaarallinen tämä paikka oli.

"Juuri tällaisessa paikassa", hän selitti, "saattaa väijyä Hunneja."

"Hunajaa?" kuiskasi Puh Nasulle. "Väijymmekö me hunajaa?"

"Kallis Puh", sanoi Pöllö setämäisesti, "etkö tiedä mitä hunnit ovat?"

"Pöllö", sanoi Nasu ja katsoi häneen ankarasti, "Puhin kuiskaus oli tarkoitettu yksinomaan minulle eikä sinun olisi tarvinnut –"

"Hunnit", sanoi Pöllö, "ovat Keltaisia."

"Niin hunajakin", sanoi Puh.

"Hunnit, kuten juuri olin sanomassa Puhille", sanoi Nasu, "ovat Keltaisia."

"Hunnit ovat Arojen Kauhu", sanoi Pöllö.

"Hunnit nimittäin ovat Arojen Kauhu", selitti Nasu.

Puh joka tiesi nyt mitä Hunnit olivat, kertoi että myös hunaja on Arkojen Kauhu, minkä hän hyvin tiesi koska oli kerran pudonnut puusta väijyessään hunajaa ja

saanut hoivailla itseään kuusi päivää sen
jälkeen.

"Me *emme nyt puhu* hunajasta", sanoi Pöllö
hieman kimpaantuneena.

"Minä puhun", sanoi Puh.

He astelivat paraikaa varovasti kiveltä
toiselle jokivartta ylös. Kuljettuaan jonkin
matkaa he saapuivat paikalle jossa rannat
kävivät matalammiksi niin että joen
molemmille puolille mahtui kaistale
ruohikkoa jolla saattoi istua ja levätä.
Huomattuaan ruohikon Risto Reipas
huusi heti: "Seis!" ja he istuutuivat
lepäämään.

"Eiköhän nyt olisi aika syödä
muonavarat", sanoi Risto Reipas, "ettei olisi
niin paljon kantamista."

"Mitä meidän piti syödä?" kysyi Puh.

"Se mitä otimme mukaan", vastasi Nasu
ja ryhtyi tuumasta toimeen.

"Hyvä ajatus", sanoi Puh ja ryhtyi hänkin
tuumasta toimeen.

"Onko kaikilla syötävää?" kysyi Risto Reipas suu täynnä.

"Kaikilla paitsi minulla", sanoi Ihaa. "Kuten Tavallista." Hän katsoi ympärilleen alakuloiseen tapaansa. "Ei kai kukaan teistä sattumoisin istu ohdakkeissa?"

"Minä taidan istua", sanoi Puh. "Au!" Hän nousi ja katsoi taakseen. "Istuin. Sitä minäkin."

"Kiitos Puh, mikäli et enää tarvitse niitä." Hän meni Puhin paikalle ja alkoi syödä.

"Istuminen ei ole niille suorastaan Hyväksi", hän jatkoi ja katsoi mutustellen ylös. "Niistä katoaa kaikki Mehu. Muistakaa se toisella

kertaa, jos sopii. Hiukka
Huomioonottamista, Vähän Välittämistä, ei
siinä muuta tarvita."

Syötyään ateriansa Risto Reipas supisi
Kanin korvaan ja Kani sanoi: "Aivan, niin
niin", ja he astelivat ylös jokivartta.

"En tahtonut muiden kuulevan", sanoi
Risto Reipas.

"Ymmärrän", sanoi Kani tärkeänä.

"Näes… minä… näes…

Kani, mahtaisitko *sinä* tietää miltä
Pohjoisvapa näyttää?"

"Jaa", sanoi Kani sivellen viiksiään, "kas
kun kysyt."

"Minä tiesin kyllä aikoinaan mutta nyt se
on päässyt unohtumaan", sanoi Risto
Reipas huolettomasti.

"Hassu juttu", sanoi Kani, "mutta
minultakin on päässyt unohtumaan vaikka
aikoinaan minä kyllä tiesin."

"Kai se on jonkinlainen vapa joka seisoo
maassa."

"Vapa se on ilman muuta", sanoi Kani, "kun sitä kerran sanotaan vavaksi, ja jos se on vapa se varmaan seisoo maassa, kuinkas muuten?"

"Sitä minäkin."

"Koko pulma on siinä, *missä se seisoo*", sanoi Kani.

"Sitähän me yritämme saada selville", sanoi Risto Reipas.

He palasivat muiden luo. Nasu makasi selällään ja nukkui autuaasti. Ruu pesi naamaansa ja käsiään joessa ja Kengu selitti ylpeänä että Ruu pesi naamaansa itse ensimmäistä kertaa, ja Pöllö kertoi Kengulle mielenkiintoista Kaskua joka oli täynnä kummallisia sanoja kuten Tietosanakirja ja Rododendron ja jota Kengu ei kuunnellut.

"Minä en perusta pesemisestä", murisi Ihaa.

"Korvien-takaa ja ties mitä uudenaikaista.
Mitä mieltä sinä olet Puh?"

"Minä –" sanoi Puh.

Mutta me emme saa milloinkaan tietää
mitä mieltä Puh oli, sillä äkkiä kuului kuinka
Ruu vingahti, jokin molskahti ja Kengu
kiljaisi.

"Se *pesemisestä*", sanoi Ihaa.

"Ruu putosi veteen", huusi Kani ja
ryntäsi Risto Reippaan kanssa apuun.

"Katsokaa minä uin!" piipitti Ruu
suvannon keskeltä ennen kuin ajautui
pyörteeseen.

"Oletko kunnossa, Ruu-kulta?" huusi
Kengu levottomana.

"Juu juu", huusi Ruu. "Katsokaa minä
uiii –" ja hän viiletti pyörteen kautta
seuraavaan suvantoon.

Kukin teki jotakin auttaakseen.
Äkkiherätyksen saanut Nasu hyppeli ylös
alas ja päästeli "No mutta, ohhoh"-
huutoja; Pöllö selitti että Äkillisissä ja
Tilapäisissä Uppoamistapauksissa oli
Pääasia pitää Pää veden Päällä; Kengu
loikki rantaa myöten huudellen: "Oletko
varmasti kunnossa, Ruu-kulta?" johon Ruu
vastasi milloin mistäkin suvannosta:
"Katsokaa minä uin!" Ihaa oli kääntynyt
selin ja roikotti häntäänsä siihen suvantoon
johon Ruu oli pudonnut ja murisi hiljaa

selin onnettomuuteen: "Sen siitä
pesemisestä saa, mutta ota kiinni
hännästäni, Pikku Ruu, niin pääset
uiville"; ja Risto Reipas ja Kani kiiruhtivat
Ihaan ohi huudellen edellä oleville.

"Rauhoitu Ruu, minä tulen", huusi
Risto Reipas.

"Työntäkää jotain joen poikki siellä
alhaalla", huusi Kani.

Puh työnsi jo. Kaksi suvantoa Ruun
alapuolella hän seisoi käpälissään pitkä
vapa. Kengu tuli hänen luokseen ja otti

kiinni vavan toisesta päästä ja he pitelivät sitä yhdessä suvannon alareunassa; ja Ruu joka yhä pulputti ylpeänä: "Katsokaa minä uin!" ajautui sitä vasten ja kipusi kuiville.

"Näitkö kun minä uin?" piipitti Ruu innoissaan Kengun toruessa ja hieroessa häntä. "Puh, näitkö kun minä uin? Sitä sanotaan uimiseksi. Sitä mitä minä tein. Kani, näitkö mitä minä tein? Hei, Nasu! Kuule! Arvaa mitä minä tein! Uin! Risto Reipas, näitkö kun minä –"

Mutta Risto Reipas ei kuunnellut. Hän tuijotti Puhia.

"Puh", hän sanoi, "mistä sinä löysit tuon vavan?"

Puh katseli käpälissään olevaa vapaa.

"Minä vain löysin sen", hän sanoi. "Löysin maasta ja ajattelin että siitä saattaisi olla hyötyä."

"Puh", sanoi Risto Reipas juhlallisesti, "Vaparetki on päättynyt. Sinä olet löytänyt Pohjoisvavan!"

"Ai", sanoi Puh.

Ihaa istui häntä vedessä kun muut palasivat hänen luokseen.

"Voisiko joku ystävällisesti pyytää Ruuta pitämään kiirettä", hän sanoi. "Häntääni alkaa palella. En tahtoisi vaivata mutta se vaivaa. En valita mutta niin on. Häntää palelee."

"Tässä minä olen", piipitti Ruu.

"Siinäkö sinä olet."

"Näitkö kun minä uin?"

Ihaa nosti häntänsä vedestä ja huiski sitä puolelta toiselle.

"Sitä epäilinkin", hän sanoi. "Kaikki tunto poissa. Puutunut. Se siitä tuli. Häntä puutui. No, kun kukaan ei välitä, sillä tuskin on väliä."

"Voi Ihaa-raukkaa! Anna minä kuivaan sen", sanoi Risto Reipas, otti nenäliinan ja alkoi hieroa häntää kuivaksi.

"Kiitos sinulle, Risto Reipas. Olet ainoa joka ymmärtää häntien päälle. Eivät ajattele

– se näitä muita vaivaa. Mielikuvitus puuttuu. Heillä häntä ei ole häntä, se on pelkkä Takapään Lisäke."

"Älä huoli, Ihaa", sanoi Risto Reipas hieroen minkä jaksoi. "Onko nyt parempi?"

"Ehkä se tuntu vähän enemmän hännältä. Se on taas Minun, tai miten sen sanoisi."

"Terve, Ihaa", sanoi Puh joka tuli heidän luokseen vapa käpälissä.

"Terve, Puh. Kiitos kysymästä, voin taas käyttää sitä parin päivän päästä."

"Siis mitä?" kysyi Puh.

"Sitä mistä me puhumme."

"En minä puhunut mistään", sanoi Puh ja näytti hämmentyneeltä.

"Minä käsitin taas väärin. Luulin sinun sanoneen että olit pahoillasi kun häntäni on puutunut ja kysyneen voivatko olla avusi."

"Ei, en minä", sanoi Puh. Hän mietti hetken ja ehdotti sitten avuliaasti: "Ehkä se oli joku muu."

"Kiitä häntä puolestani kun tapaat."
Puh katsoi levottomana Risto
Reippaaseen.
"Puh on löytänyt Pohjoisvavan", sanoi
Risto Reipas. "Upea juttu vai mitä?"
Puh katsoi vaatimattomasti maahan.
"Tuoko se on?" kysyi Ihaa.
"Se juuri", sanoi Risto Reipas.
"Tuoko on se jota me haimme?"
"Tämä juuri", sanoi Puh.
"Vai niin", sanoi Ihaa. "No – eipähän
satanut", hän sanoi.
He iskivät vavan maahan ja Risto Reipas
kirjoitti siihen tiedotuksen:

PoHJois-vAPA
PuHiN LöTö
PuH LöySi SEN

Sitten kaikki menivät taas kotiin. En tosin ole
varma mutta luulen, että Ruu joutui
kuumaan kylpyyn ja suoraa päätä sänkyyn.

Mutta Puh meni takaisin kotiinsa. Hän tunsi
itsensä hyvin ylpeäksi siitä mitä oli tehnyt ja
nautti jotakin pientä vahvistuksekseen.

NASU
VEDEN
ARMOILLA

NASU
VEDEN
ARMOILLA

Satoi, satoi ja satoi. Nasu arveli ettei
hän koskaan koko elinaikanaan – ja
herraties kuinka vanha hän oli, kolme
vai oliko se sittenkin neljä – ollut
nähnyt niin paljon sadetta. Sade jatkui
päivästä toiseen.

"Kunpa olisin ollut Puhin luona kun
sade alkoi", hän ajatteli katsellessaan

ikkunasta, "tai Risto Reippaan luona tai Kanin luona. Silloin minulla olisi ollut Seuraa koko tämän ajan, enkä olisi joutunut olemaan täällä yksin. Kun ei voi tehdäkään muuta kuin miettiä koska sade lakkaa." Ja hän näki itsensä Puhin seurassa sanomassa: "Oletko ikinä nähnyt moista sadetta, Puh?" Ja Puh vastaisi: "Kyllä on *kauheaa*. Nasu!" Ja Nasu sanoisi: "Mitenkähän Risto Reippaalla päin ovat asiat?" Ja Puh sanoisi: "Kani-paran on tulva jo varmaan ajanut asunnostaan." Olisi ollut mukavaa jutella näin; eikä mikään jännittävä, niin kuin nyt tulva, tuntunut paljon miltään kun sitä ei voinut jakaa kenenkään kanssa.

Jännittävä tulva kyllä oli. Pienet kuivat ojat joissa Nasu oli tonkinut lukemattomat kerrat olivat paisuneet puroiksi, ja pikku purot joiden yli hän oli kahlannut olivat paisuneet joiksi, ja joki jonka rantatörmillä oli leikitty monet iloiset leikit oli aikaa sitten peittänyt nuo leikkipaikat ja uhkasi Nasun kauhuksi jo hänen nukkumapaikkaansa.

"Ei ole helppoa olla Hyvin Pieni Eläin Aivan Veden Armoilla", hän sanoi itsekseen. "Risto Reipas ja Puh voivat aina Kiivetä Puuhun ja Kengu voi Loikkia ja Kani voi Kaivaa ja Pöllö voi Lentää ja Ihaa voi – Pitää Kovaa Ääntä Avuntuloon Asti – mutta mitä minä voin? Tässä olen aivan veden armoilla enkä pysty tekemään *mitään.*"

Sadetta jatkui ja joka päivä vesi nousi vähän korkeammalle, kunnes se ulottui melkein Nasun ikkunaan saakka... eikä hän edelleenkään ollut tehnyt mitään.

"Ajatellaan vaikka Puhia", hän mietti. "Puh ei ole erityisen Suuriälyinen mutta hänelle käy aina parhain päin. Tai sitten Pöllöä. Pöllökään ei ole oikeastaan älykäs mutta hän Tietää. Hän tietäisi Mitä Tehdä kun on veden armoilla. Entä Kani? Hän ei ole Kirja-Viisas, mutta hän keksii koska tahansa Nerokkaan Suunnitelman. Tai

Kengu. Kengu ei ole nerokas
mutta hän olisi niin huolissaan
Ruusta että tekisi Niin Kuin
Pitääkin miettimättä sitä sen

enempää. Tai
Ihaa. Ihaalla
menee aina niin
huonosti ettei hän
edes huomaisi mitään.
Mutta mitähän Risto
Reipas tekisi?"

Silloin hän äkkiä
muisti Risto Reippaan
kertoman tarinan
miehestä joka oli joutunut autiolle
saarelle ja pannut kirjeen pullon sisään
ja heittänyt pullon mereen; ja Nasu
rupesi ajattelemaan että jos hän
kirjoittaisi kirjeen pullon sisään ja
heittäisi pullon veteen, joku
saattaisi kukaties tulla
pelastamaan *hänet!*

Hän poistui ikkunasta ja alkoi penkoa taloaan – talonsa vedenpäällistä osaa – ja löysi lopulta lyijykynän ja kuivan paperinpalan ja pullon ja siihen sopivan korkin. Ja hän kirjoitti paperin toiselle puolelle:

APUA!
NASU (MINÄ)

ja toiselle puolelle:

MINÄ TÄÄLLÄ NASU, APU APU!

Sitten hän pani paperin pulloon ja sulki pullon korkilla niin tarkkaan kuin osasi ja kumartui ikkunasta niin pitkälle kuin pääsi putoamatta veteen ja heitti pullon niin kauas kuin pystyi – *molskis* – ja hetken kuluttua pullo pulpahti taas esiin. Ja hän katseli miten se hitaasti ajelehti kauemmaksi kunnes hänen silmiinsä alkoi sattua. Välillä hänestä tuntui

että katse seurasi pulloa ja välillä hänestä
tuntui että se seurasi vedenvärettä ja sitten
äkkiä hän tajusi ettei hän koskaan enää

näkisi pulloaan ja että hän oli tehnyt kaiken
voitavan pelastuakseen.

"Nyt saavat sitten muut tehdä jotakin",
hän ajatteli, "ja toivottavasti tekevät sen
pian, sillä muussa tapauksessa minä joudun
uimaan, enkä minä osaa uida, niin että
parasta olisi että tekisivät sen pian." Ja sitten
hän huokasi syvään ja sanoi: "Olisipa Puh
täällä. Kahdestaan olisi paljon
Miellyttävämpää."

Sateen alkaessa Puh nukkui. Satoi, satoi ja satoi ja hän nukkui, nukkui ja nukkui. Päivä oli ollut rasittava. Muistat varmaan miten hän löysi Pohjoisvavan – no, hän oli niin ylpeä siitä että kysyi Risto Reippaalta, oliko olemassa muita sopivia vapoja, jotka Pienälyinen Karhu voisi löytää.

"On Etelävapa", sanoi Risto Reipas, "ja Itävapa ja Länsivapakin ovat varmaan olemassa vaikka niistä ei mielellään puhuta."

Puh innostui kovin tämän kuullessaan ja ehdotti että he varustaisivat vaparetken

Itävallan löytämiseksi, mutta Risto
Reippaalla ja Kengurulla oli muuta
tekemistä ja Puh lähti löytämään Itävapaa
yksinään. En muista enää löysikö hän sen vai
ei, mutta kotiin palattuaan hän oli niin
väsynyt, että hän nukahti tuoliinsa kesken
illallisen syötyään vasta vajaat puoli tuntia ja
nukkui, nukkui ja nukkui.

Äkkiä hän näki unta. Hän oli Itävavalla.
Se oli hyvin kylmä vapa jossa oli valtavan
kylmää lunta ja jäätä joka puolella. Hän oli
asettunut nukkumaan löytämäänsä
mehiläispesään, mutta hänen jalkansa eivät
mahtuneet sisään ja hän joutui jättämään ne
ulos. Ja Itävavalla viihtyvät villit Tärpät
tulivat hänen luokseen ja näykkivät kaiken
karvan hänen jaloistaan Pesän Pehmikkeeksi.
Ja mitä enemmän ne näykkivät, sitä
kylmemmiksi kävivät Puhin jalat, kunnes hän
heräsi huutaen *Au!* – ja siinä hän istui
tuolissaan jalat vedessä, ja vettä oli joka
puolella!

Hän kahlasi ovelle ja katsoi ulos...

"Tämä on vakavaa", sanoi Puh. "Nyt on edessä Pako."

Hän otti suurimman hunajapurkin ja pakeni sen kanssa eräälle leveälle puunoksalle hyvän matkaa veden yläpuolelle ja sitten hän kiipesi takaisin alas ja pakeni toisen purkin kanssa...ja kun koko Pako oli ohi, istui Puh oksalla heilutellen jalkojaan kymmenen purkkia hunajaa vierellään...

Kahden päivän kuluttua Puh istui oksalla heilutellen jalkojaan neljä purkkia hunajaa vierellään...

Kolmen päivän kuluttua Puh istui oksalla heilutellen jalkojaan purkki hunajaa vierellään...

Neljän päivän kuluttua Puh istui oksalla.

Ja neljännen päivän aamuna ajelehti Nasun pullo hänen ohitseen ja hän kiljaisi: "Hunajaa!" sukelsi veteen, tarrasi pulloon

ja ponnisteli takaisin puuhun.

"Voi harmi!" sanoi Puh avattuaan pullon. "Kaikki märkä turhan takia. Mikä tuo paperilappu on?"

Hän otti lapun esiin ja tutki sitä.

"Tässä on Tiedotus", hän sanoi itselleen, "tiedotus se on. Ja tuo on N-kirjain ja samoin tuo ja tuo ja N tarkoittaa 'Nalle' joten tämä on hyvin tärkeä tiedotus minulle enkä minä osaa lukea sitä. Minun täytyy saada käsiini

Risto Reipas tai Pöllö tai Nasu, joku Viisas Lukija joka osaa lukea. He voivat kertoa minulle mitä tämä tietodus tarkoittaa. Paitsi että minä en osaa uida. Voi harmi!"

Sitten hän sai ajatuksen ja minusta se oli Pieniälyisen Karhun ajatukseksi erinomainen. Hän sanoi:

"Jos pullo pysyy pinnalla, silloin purkki pysyy pinnalla, ja jos purkki pysyy pinnalla, minä voin istua sen päällä mikäli purkki on oikein iso."

Ja hän otti isoimman purkkinsa ja pani siihen kannen.

"Kaikilla laivoilla pitää olla nimi", hän sanoi. "Minä siis annan omalle laivalleni nimeksi *Kelluva Karhu*." Ja näin sanoen hän pudotti laivansa veteen ja hyppäsi itse perään.

Jonkin aikaa Puhilla ja *Kelluvalla Karhulla* oli epäselvyyksiä siitä kumman oli tarkoitus olla päällimmäisenä, mutta kokeiltuaan paria eri asentoa he asettuivat siten että

Kelluva Karhu kellui alla ja Puh istui kahareisin sen päällä meloen pontevasti jaloillaan.

Risto Reipas asui Metsän korkeimmalla kohdalla. Satoi, satoi ja satoi, mutta *hänen* taloonsa asti ei vesi ulottunut. Oli aika mukavaa katsella laaksoja ja vettä jota oli vähän kaikkialla, mutta sade oli sen verran rankkaa että hän pysytteli enimmäkseen

sisällä ja ajatteli asioita. Joka aamu hän
meni ulos sateenvarjo kädessä ja pisti tikun
vesirajaan. Seuraavana aamuna oli tikku
aina kadonnut ja hän pisti uuden tikun
vesirajaan ja asteli kotiin. Ja joka päivä oli
kävelymatka lyhyempi kuin edellisenä
aamuna. Viidennen päivän aamuna hän
näki vettä joka puolella ja silloin hän tiesi
olevansa ensimmäisen kerran elämässään
oikealla saarella. Se oli hyvin jännittävää.

Sinä aamuna lensi Pöllö veden yli
sanomaan: "Mitä kuuluu?" ystävälleen
Risto Reippaalle.

"Terve Pöllö", sanoi Risto Reipas.
"Mitä sanot? Minä olen saarella."

"Ilmastolliset olosuhteet ovat viime aikoina olleet varsin epäsuotuisat", sanoi Pöllö.

"Ilma – mitä?"

"On satanut", selitti Pöllö.

"On", sanoi Risto Reipas. "On satanut."

"Tulva on saavuttanut ennalta-arvaamattomat mittasuhteet."

"Kuka?"

"Vettä on vähän joka puolella", selitti Pöllö.

"On", sanoi Risto Reipas, "vettä on."

"Mutta suotuisat näkymät paranevat jatkuvasti. Milloin tahansa –"

"Oletko nähnyt Puhia?"

"En. Milloin tahansa –"

"Toivottavasti hänellä ei ole mitään hätää", sanoi Risto Reipas. "Nasu on kai hänen kanssaan. Mitä luulet, ei kai heillä ole mitään hätää?"

”Ei kai. Katso, milloin tahansa –”
”Menisitkö katsomaan. Kun Puh on
vähän pieniälyinen, hän voi tehdä jotakin

pöhköä ja minä pidän hänestä niin kovin. Käsitätkö?"

"Ei se mitään", sanoi Pöllö. "Minä menen. Palaan välittömästi." Ja hän lensi tiehensä.

Vähän ajan kuluttua Pöllö palasi.

"Puh ei ole siellä", hän sanoi.

"Miten ei ole?"

"Hän on *ollut* siellä. Hän on istunut talonsa vieressä puunoksalla yhdeksän hunajapurkin kanssa. Mutta hän ei ole siellä enää."

"Voi Puh!" huudahti Risto Reipas. "Missä sinä olet?"

"Täällähän minä", sanoi möreä ääni hänen takaansa.

"Puh!"

He juoksivat toistensa syliin.

"Miten sinä tänne pääsit?" kysyi Risto Reipas kun hän taas pystyi puhumaan.

"Laivallani", sanoi Puh ylpeänä. "Minulle lähetettiin pullossa Hyvin Tärkeä

Tiedotus, ja sen tähden että minulla oli
niin paljon vettä silmissä, en pystynyt
lukemaan sitä vaan toin sen sinulle.
Laivallani."

Näiden sanojen saattelemana hän
antoi Risto Reippaalle Tietoduksen.

"Mutta tämähän on Nasulta!"
huudahti Risto Reipas luettuaan
lapun.

"Eikö siinä puhuta mitään Puhista?"
kysyi Karhu kurkistellen hänen olkansa
takana.

Risto Reipas luki tiedotuksen ääneen.

"Ai ovatko ne N:t nasuja. Minä luulin
niitä nalleiksi."

"Meidän täytyy heti pelastaa hänet!
Minä luulin että hän oli sinun kanssasi,
Puh. Pöllö, pystyisitkö sinä pelastamaan
hänet selässäsi?"

"En oikein usko", sanoi Pöllö pitkään
harkittuaan. "Poikittaisten selkälihasten
kestokyky –"

"Lentäisitkö siinä tapauksessa *heti* hänen
luokseen kertomaan että Apu Tulee. Ja Puh
ja minä keksimme jonkin Apuneuvon ja
tulemme niin pian kuin pääsemme. Älä
rupea *puhumaan*, lähde jo!" Ja Pöllö lensi
pois miettien yhä jotakin sanottavaa.

"No niin, Puh, missä sinun laivasi on?"

"Minun täytyy huomauttaa", sanoi Puh
heidän kävellessään saaren rantaa kohti,
"että se ei ole mikään tavallinen laiva.
Välillä se on laiva ja välillä pikemminkin
Epäonni. Se riippuu."

"Riippuu mistä?"

"Siitä olenko minä sen päällä vai alla."

"Niinkö? Mutta missä se on?"

"Tuossa!" sanoi Puh osoittaen
tyytyväisenä *Kelluvaa Karhua*.

Laiva ei aivan vastannut Risto
Reippaan odotuksia ja mitä enemmän
hän sitä katsoi, sitä enemmän hänestä
tuntui että Puh toden totta oli Urhea ja
Viisas Karhu, ja mitä enemmän hänestä
tuntui siltä, sitä vaatimattomammin Puh
katseli kuononvartta alas ja yritti olla kuin
ei olisikaan.

"Mutta se on kahdelle liian pieni",
sanoi Risto Reipas surullisena.

"Kolmelle, kun otetaan Nasu
mukaan."

"Siitä se vain pienenee. Voi Puh, mitä nyt tehdään?"

Ja silloin tämä Karhu, Puh-Karhu, Nalle Puh, N. Y. (Nasun Ystävä), K. K. (Kanin Kaveri), V. L. (Vavanlöytäjä), I. L. ja H. L. (Ihaan Lohduttaja ja Hännänlöytäjä) – sanalla sanoen Puh itse – sanoi jotakin niin älykästä, ettei Risto Reipas voinut muuta kuin jäädä tuijottamaan häntä silmät selällään ja suu ammollaan ja ihmetellä, oliko tämä todella se Pieniälyinen Karhu, jonka hän oli tuntenut ja josta hän oli pitänyt jo kauan.

"Me voisimme mennä sateenvarjolla", sanoi Puh.

"?"

"Me voisimme mennä sateenvarjolla", sanoi Puh.

"??"

"Me voisimme mennä sateenvarjolla", sanoi Puh.

"!!!!!"

Sillä äkkiä Risto Reipas käsitti että he
toden totta voisivat. Hän avasi
sateenvarjonsa ja pani sen veteen piikki
edellä. Se kellui mutta keikkui. Puh astui
siihen. Hän oli juuri aikeissa sanoa että
kaikki oli kunnossa kun hän huomasi ettei
ollut, ja pienen – vastentahtoisen –
kulauksen jälkeen hän kahlasi takaisin
Risto Reippaan luo. Sitten he astuivat
siihen yhdessä eikä se enää keikkunut.

"Minä annan tälle laivalle nimeksi *Puhin Äly*", sanoi Risto Reipas, ja *Puhin Äly* lähti purjehtimaan lounasta kohti sulavasti pyörien.

Voit varmaan kuvitella mielessäsi Nasun ilon kun laiva viimein tuli näkyviin. Tulevina vuosina hän muisteli mielellään olleena Hyvin Suuressa Vaarassa Kauhean Tulvan aikana, mutta ainoa todellinen vaara, jossa hän oli ollut, oli uhannut häntä hänen vankeutensa viimeisen puolen tunnin aikana, kun vasta paikalle lentänyt Pöllö oli istunut oksalla lohduttamassa häntä ja kertonut hänelle erittäin pitkää tarinaa eräästä tädistään, joka oli vahingossa muninut lokinmunan, ja tarina oli jatkunut jatkumistaan melkein kuin tämä virke, kunnes ikkunastaan nojaava Nasu, joka oli kuunnellut Pöllön tarinaa jokseenkin toivottomana, oli nukahtanut hilja aja luontevasti ja alkanut valua ikkunasta vettä kohti, niin että hän lopulta

roikkui enää varpaitten varassa, ja juuri
sillä hetkellä Pöllön päästämä rääkäisy,
joka kuului tarinaan ja matki hänen tätinsä
ääntä, oli herättänyt hänet niin että hän sai
töin tuskin töytäistyksi itsensä takaisin ja
sanotuksi: "Miten mielenkiintoista –
ihanko totta?" kun – no, voit varmaan

kuvitella mielessäsi miten hän iloitsi
nähdessään viimein uljaan purren *Puhin
Älyn* (kapteeni R. Reipas, ensimmäinen
perämies P. Karhu) purjehtivan häntä
pelastamaan.

Ja kun kertomus oikeastaan päättyy
tähän ja minä olen aika väsynyt viimeisen
virkkeen jälkeen, taidan lopettaa siihen.

RISTO REIPAS
JÄRJESTÄÄ
JUHLAT

RISTO REIPAS
JÄRJESTÄÄ
JUHLAT

Eräänä päivänä kun aurinko oli palannut
Metsän ylle tuoden tullessaan toukokuun
tuoksun, ja kaikki Metsän purot solisivat
iloisesti taas omassa olomuodossaan, ja pikku
suvannot lepäsivät kaikesta näkemästään ja
tekemästään, ja käki kokeili hiljaisessa

lämpimässä Metsässä varovasti ääntään nähdäkseen pitikö se siitä, ja sepelhkyyhkyt valittelivat lempeästi toisilleen laiskalla mukavalla tavallaan että syy oli toisen mutta ei sillä väliä – tällaisena päivänä vihelsi Risto Reipas oman erityisen vihellyksensä ja Pöllö lensi Puolen Hehtaarin Puistosta katsomaan tarvittiinkö häntä.

"Pöllö", sanoi Risto Reipas, "minä aion järjestää Juhlat."

"Niinkö, todellako?" sanoi Pöllö.

"Ja niistä tulee aivan erityiset juhlat sillä ne pidetään sen kunniaksi mitä Puh teki kun hän teki sen minkä teki pelastaakseen Nasun tulvasta."

"Niinkö, vai sen kunniaksi?" sanoi Pöllö.

"Niin juuri. Menisitkö sinä siis mitä pikimiten kertomaan Puhille ja kaikille muille, sillä ne pidetää huomenna."

"Niinkö, aivanko totta?" sanoi Pöllö

edelleen niin avuliaana kuin kuvitella saattaa.

"Menisitkö siis kertomaan sen kaikille?"

Pöllö koetti keksiä jotakin viisasta sanottavaa mutta ei keksinyt mitään ja lensi kertomaan kaikille. Ensimmäinen jolle hän kertoi oli Puh.

"Puh", hän sanoi, "Risto Reipas järjestää juhlat."

"Sepä sattui", sanoi Puh. Ja nähtyään että Pöllö odotti hänen sanovan jotain muutakin hän sanoi: "Onko siellä niitä pieniä kakkaroita, joissa on vaaleanpunaista sokerikuorrutusta?"

Pöllön mielestä hänen arvolleen ei lainkaan sopinut puhua pienistä kakkaroista, joissa on vaaleanpunaista sokerikuorrutusta, ja hän kertoi Puhille täsmälleen mitä Risto Reipas oli sanonut ja lensi sitten Ihaan luo.

"Juhlat Minun Kunniakseni", ajatteli Puh itsekseen. "Upeaa!" Ja hän alkoi pohtia, tietäisivätkö kaikki muutkin eläimet että ne

olisivat erityiset Puh-Juhlat, ja oliko
Risto Reipas kertonut heille *Kelluvasta
Karhusta* ja *Puhin Älystä* ja kaikista
hienoista laivoista jotka hän oli

keksinyt ja joilla hän oli purjehtinut.
Hän rupesi miettimään miten kurjaa
olisi, jos kaikki olisivat unohtaneet
koko jutun, eikä kukaan tarkalleen
tietäisi mitä varten juhlat pidettäisiin;
ja mitä enenmmän hän tätä mietti,

sitä pahemmin juhlat menivät hänen ajatuksissaan sekaisin, niin kuin uni jossa mikään ei osu kohdalleen. Ja uni alkoi lauleskella itsekseen hänen päässään ja siitä tuli eräänlainen laulu. Näin se kuului:

3 hurraata Puhille!
(*Ai kenelle?*)
Puhille...
(*Mitä teki se?*)
Tokihan tiedämme:
pelasti ystävänsä kastumasta!
3 hurraata karhu saa!
(*Kuka karhuaa?*)
Karhu saa..
Vaikka uida osannut ei,
hänet turvaan vei!
(*Ai kenet vei?*)
Kuuntele, hei!
Puh teki sen...
(*Ai ken?*)
Puh! Sen!
(*Anteeksi, unohdin sen äsken vasta.*)

Puhin äly oli valtavan kerrassaan...
(*Sano uudestaan!*)
Äly valtava kerrassaan...
(*Mikä valtava on?*)
No, syömään hän oli mahdoton,
enkä tiedä oliko uimataidoton,
mutta veneentapaisella hän taisi kelluskella...
(*Ai millaisella?*)
No, purkintapaisella...
Kolme iloista hurraata hänelle huutakaamme.
(*Mitä kolme iloista pitäisi huutaa tässä?*)
Meille pitkää yhdessäoloa toivottakaamme
ja hänelle kaikkea hyvää elämässä!

3 hurraata Puhille!
(*Ai kenelle?*)
Puhille...
3 hurraata karhu saa!
(*Kuka karhuaa?*)
Karhu saa...
3 hurraata suurenmoiselle Nalle Puhille!

Samaan aikaan kun tämä laulu pyöri Puhin
päässä, puhui Pöllö Ihaan kanssa.
    "Ihaa", sanoi Pöllö. "Risto Reipas
järjestää juhlat."

    "Sepä mielenkiintoista", sanoi Ihaa.
"Lähettävät varmaan minulle niitä rippeitä,
joiden päälle joku on tallonut. Ystävällistä

ja Huomaavaista. Ei lainkaan, mitäpä
tuosta."

"Tuon sinulle Kutsua."

"Onkohan se hyvää?"

"Kutsua!"

"Kuulin kyllä. Kuka sen pudotti?"

"Ei se ole mitään syötävää, se tarkoittaa
että sinua pyydetään juhliin. Huomenna."

Ihaa pudisti hitaasti päätään.

"Tarkoitat Nasua, Sitä pikku veikkoa,
jolla on innokkaat korvat. Nasua siis. Minä
kerron."

"Ei, ei!" sanoi Pöllö jonka hermot
alkoivat pettää. "Ei vaan sinua!"

"Oletko varma?"
"Tietysti olen. Risto Reipas sanoi:
'Kaikki. Pyydä kaikki.'"
"Kaikki paitsi Ihaa."

"Kaikki", sanoi Pöllö
kimpaantuneena.
"Olkoon", sanoi Ihaa. "Erehdys,

epäilemättä, mutta tulen kuitenkin.
Mutta älkää minua syyttäkö jos tulee sade."
    Mutta sadetta ei tullut. Risto Reipas oli

tehnyt pitkistä laudoista pitkän pöydän ja
kaikki istuivat sen ympärillä. Risto Reipas istui
toisessa päässä ja Puh toisessa ja heidän välillän
istuivat toisella puolen Pöllö ja Ihaa ja Nasu ja
toisella puolen heidän välillän istuivat Kani ja
Ruu ja Kengu. Ja kaikki Kanin omaiset ja
ystävät olivat levittäytyneet nurmikolle ja
odottivat toiveikkaasti että joku puhuisi heille

tai pudottaisi jotain tai kysyisi kelloa.

Nämä olivat Ruun ensimmäiset juhlat ja hän oli hyvin innoissaan. Heti kun kaikki olivat istuutuneet hän alkoi puhua.

"Hei, Puh!" hän piipitti.

"Hei, Ruu!", sanoi Puh.

Ruu hyppeli ylös alas tuolissaan vähän aikaa ja alkoi kohta uudestaan.

"Hei, Nasu!" hän piipitti.

Nasu heilautti hänelle käpälää sillä hänellä oli niin paljon muuta tekemistä ettei hän ehtinyt vastaamaan.

"Hei, Ihaa!" sanoi Ruu.

Ihaa nyökkäsi hänelle synkeästi. "Koha sataa, saatpa nähdä", hän sanoi.

Ruu katsoi eikä nähnyt joten hän sanoi: "Hei, Pöllö!" – ja Pöllö sanoi: "Heipä hei, pikku veikko", ystävällisellä äänellä, ja kääntyi sitten Risto Reippaan puoleen jatkamaan kertomusta onnettomuudesta, joka oli ollut vähällä sattua eräälle hänen ystävälleen jota Risto Reipas ei tuntenut, ja Kengu sanoi

Ruulle: "Juo maito ensin ja puhu sitten".
Silloin maitoaan juova Ruu yritti sanoa että
hän pystyi tekemään molempia yhtaikaa...
jonka jälkeen häntä saatiin taputella ja kuivailla
jonkin aikaa.

Kun kaikki olivat syöneet melkein tarpeeksi,
Risto Reipas paukutti pöytää lusikalla ja kaikki
lopettvat puhumisen ja vaikenivat paitsi Ruu,
joka oli juuri saanut rajun hikkakohtauksen ja
yritti näyttää siltä kuin syyllinen oli joku Kanin
omaisista.

"Nämä juhlat", sanoi Risto Reipas, "ovat
juhlat sen kunniaksi mitä eräs teki, ja me kaikki
tiedämme kuka. Ja nämä ovat hänen juhlansa
sen kunniaksi mitä hän teki, ja minulla on
hänelle lahja ja se on tässä." Sitten hän hapuili
käsillään ja kuiskasi: "Missä se on?"

Hänen etsiessään Ihaa yskäisi merkitsevästi
ja alkoi puhua.

"Ystävät", hän sanoi, "kuin myös muut
vieraat, on suuri ilo, vai pitäisikö sanoa, on
ollut suuri ilo nähdä teidät juhlissani. Se mitä

tein ei ollut mitään. Kuka tahansa teistä –
paitsi Kani ja Pöllö ja Kengu – olisi tehnyt
samoin. Niin, tai Puh. Huomautukseni ei

tietenkään koske Nasua eikä Ruuta sillä he ovat
liian pieniä. Kuka tahansa teistä olisi tehnyt
samoin. Mutta se satuin olemaan Minä. Minun
tuskin tarvitsee mainita että se mitä Risto

Reipas nyt etsii" – hän nosti etujalan suun
eteen ja kuiskasi kuuluvasti: "Katso pöydän
alta! – ei ollut minulla mielessä kun tein sen
mitä tein – vaan se että meidän tulee
kaikkien tehdä voitavamme auttaaksemme
toisiamme. Meidän tulee kaikkien –"

"Hi-ik! pääsi Ruulta.

"Mutta Ruu!" moitti Kengu.

"Olinko se minä?" kysyi Ruu
hämmästyneenä.

"Mistä Ihaa puhuu?" kuiskasi Nasu
Puhille.

"En tiedä", sanoi Puh synkästi.

"Minä luulin että nämä ovat *sinun*
juhlasi."

"Niin minäkin luulin *aikoinaan*. Mutta
nähtävästi eivät ole."

"Mieluummin minusta sinun
kuin Ihaan", sanoi Nasu.

"Niin minustakin", sanoi
Puh.

"Hik-ik!" sanoi Ruu taas.

"KUTEN – OLIN – SANOMASSA",
sanoi Ihaa lujaa ja akarasti, "kuten olin
sanomassa kun Äänekäs Häly keskeytti minut,
meidän tulee kaikkien –"

"Tässä se on!" huuhdahti Risto Reipas
innoissan. "Ojentakaa se pöhkölle Puhille. Se
on Puhille." Se on Puhille."

"Puhilleko?" sanoi Ihaa.

"Niin tietysti. Maailman parhaalle karhulle."

"Olisi pitänyt arvata", sanoi Ihaa. "Loppujen
lopuksi ei ole aihetta valittaa. Minulla on
ystäväni. Vasta eilen joku puhui minulle. Ja
viime viikolla – vai oliko se edellisellä – Kani

törmäsi minuun ja sanoi: 'Voi harmi!' Se on sitä Seuraelämää. Aina sattuu ja tapahtuu."

Kukaan ei kuunnellut sillä kaikki sanoivat: "Avaa se, Puh", "Mitä se on?", "Minä tiedän mitä se on?", Etpäs tiedä", ynnä muuta avuliasta. Ja Puh avasi minkä kerkesi, tietenkään katkaisematta narua, sillä eihän koskaan voi tietää milloin narunpätkä osoittautuu Hyödylliseksi. Viimein kääre oli auki.

Kun Puh näki mikä se oli, hän melkein lensi selälleen, niin iloinen hän oli. Se oli Erikois-Kynä–Kotelo. Siinä oli kyniä, joissa luki "B" (Bravo) ja kyniä joissa luki "HB" (Hurraa Bravo) ja kyniä joissa luki "BB" (Bravo Bravo). Siinä oli pieni puukko kynien teroittamista varten ja kumi kaiken väärinkirjoitetun pyyhkimiseksi, ja viivoitin viivojen vetämistä varten niin että kirjaimet tietävät missä kävellä, ja viivoittimessa oli sentit siltä varalta että halutti tietää montako senttiä jokin oli, ja Sinisä Kyniä ja Punaisia Kyniä ja Vihreitä

Kyniä jotta voisi sanoa jotakin erityisesti
sinisellä ja punaisella ja vihreällä. Ja kaikki
tämä ihanuus oli kukin omassa lokerossaan
Erikois-Kotelossa joka napsahti kun sen
napsautti kiinni. Ja kaikki Puhille.

"Ohhoh!" sanoi Puh.

"Ohhoh, Puh", sanoivat kaikki paitsi Ihaa.
"Kiitos", mörisi Puh.

Mutta Ihaa sanoi itsekseen: "Kirjoittaminen

– hmmm, hmm. Kyniä ja mitä kaikkea.
Ylimainostettua, jos minulta kysytte. Tyhmää
touhua. Kerrassaan tyhjänpäiväistä."

Myöhemmin kun kaikki olivat sanoneet Risto Reippaalle "Näkemiin" ja "Kiitos", Puh ja Nasu astelivat ajatuksissaan illan kultaisessa kajossa kotiinpäin. Pitkään he pysyivät vaiti.

"Puh, kun aamulla heräät, mitä sanot itsellesi ensimmäiseksi?" kysyi Nasu viimein.

"Mitä tänään on aamiaiseksi?" sanoi Puh. "Mitä sinä sanot?"

"Minä sanon: 'Mitähän jännittävää tänään tapahtuu?'" sanoi Nasu.

Puh nyökkäsi miettiväisesti.

"Se on sama asia", hän sanoi. "Ja mitä tapahtui?" kysyi Risto Reipas.

"Milloin?"

"Seuraava aamuna."

"En tiedä."

"Voisitko miettiä sitä ja kertoa joskus minulle ja Puhille?"

"Jos kovasti tahdot."

"Puh tahtoo", sanoi Risto Reipas.
Hän huokasi syvään, nosti karhua jalasta

ja asteli ovelle laahaten Nalle Puhia perässään.
Ovella hän kääntyi ja sanoi: "Tuletko
katsomaan kun kylven?"

"Saatan tulla", minä sanoin.

"Oliko Puhin kynäkotelo hienompi kuin
minun?"

"Se oli aivan yhtä hieno", minä sanoin.

Hän nyökkäsi ja meni ovesta... ja hetken
kuluttua kuulin kuin – *pum, pum, pum* – Nalle
Puhia vietiin yläkertaan hänen perässään.

PIENIÄLYISEN KARHUN
KIRJOITTAMIA SÄKEITÄ

Kun maanantai on helteinen
niin itseltäni kyselen:
"Tottako puhuu tuo vai ken
mikä on miksi millainen?"

Kun tiistaina vain pyryttää,
mielessä tunne viriää:
ei kukaan taida ymmärtää,
siksi vai täksi mikä jää.

Kun keskiviikko kauniin sään
tuo, minä joutilaaksi jään
ja mietin, onko ensinkään
mikä tai kuka mitenkään.

Kun torstain tullen pakastuu
ja kuuraanpeittyy joka puu,
niin havaitsemaan havahtuu:
muu mikä on – vaan mikä muu?

Kun perjantai...

LÄMMIN JA AURINKOINEN PAIKKA

Tämän paikan aurinkoisen
    Puh omistaa.
Hän täällä istuu tuumiskelleen
    mihin rupeaa.
Voi harmi, olin unohtaa –
    Nasu myös sen omistaa.

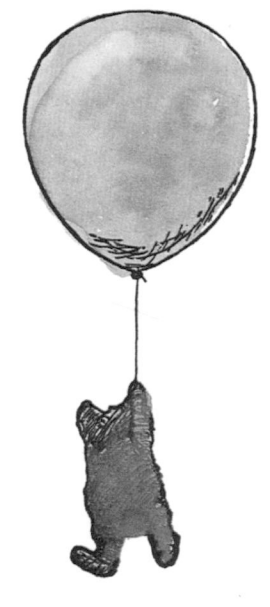

KUINKA IHANAA
OLLA PILVENÄ

Pilevenä on ihanaa
nousta sineen leijumaan!
Joka pikku pilvi saa
laulun kaiuttaa.

"Pilvenä on ihanaa
nousta sineen leijumaan!"
Uljasta on vaeltaa
kun pieni pilvi olla saa.

Pilvenä on ihanaa
nousta sineen leijumaan!

EIKÖ OLE HASSUA

Onpa juttu hassu,
miten pitää hunajasta
karhun massu!
Surr! Surr! Mikä on syy
että karhu niin
hunajaan mieleistyy?

PIIRAKKALAULU

Piirakkaa, piirakkaa, piirakkaa saan.
Tipu osaa lentää eikä tipu ollenkaan.
Jos arvoituksen kysyt, niin minä vastaan vaan:
"Piirakkaa, piirakkaa, piirakkaa saan."

Piirakkaa, piirakkaa, piirakkaa saan.
Ei kala osaa viheltää, ja kohtalon sen jaan.
Jos arvoituksen kysyt, niin minä vastaan vaan:
"Piirakkaa, piirakkaa, piirakkaa saan."

Piirakkaa, piirakkaa, piirakkaa saan.
Miksi kana lienee, en tiedä kautta maan.
Jos arvoituksen kysyt, niin minä vastaan vaan:
"Piirakkaa, piirakkaa, piirakkaa saan."

Englannin kielinen alkuteos
Best-Loved Winnie The Pooh Stories

Stories taken from Winnie-the-Pooh
originally published in Great Britain in 1926
by Methuen & Co. Ltd.
Text by A. A. Milne and line illustrations by Ernest H. Shepard
copyright under the Berne Convention.

This edition published in 1999 by Dean,
an imprint of Egmont Children's Books Limited
239 Kensington Hight Street, London W8 6SA
copyright © 1999 Michael John Brown, Peter Janson-Smith.
Roger Hug, Vaughan Charles Morgan
and Timothy Michael Robinson, Trustees of the Pooh Properties.
Colouring of the line illustrations copyright © 1970
Ernest H. Shepard and Methuen & Co. Ltd.
and copyright © 1973 Ernest H. Shepard
and Methuen Children's Books Ltd.

Suomentanut © Kersti Juva 1976, 1977
Runojen © suomennos Panu Pekkanen 1976, 1977

ISBN 951-0-26850-X

Painettu Dubaissa 2002